KB104101

지구와 라메흐

지구와 라메호

발　행 | 2024년 07월 25일
저　자 | 고앵이 · 위즈
펴낸이 | 한건희
펴낸곳 | 주식회사 부크크
출판사등록 | 2014.07.15.(제2014-16호)
주　소 | 서울특별시 금천구 가산디지털1로 119 SK트윈타워 A동 305호
전　화 | 1670-8316
이메일 | info@bookk.co.kr

ISBN | 979-11-410-9695-3

www.bookk.co.kr
ⓒ 고앵이 · 위즈 2024
본 책은 저작자의 지적 재산으로서 무단 전재와 복제를 금합니다.

지구와
라메흐
고앵이 · 위즈 지음

차례

지구

"이제 이것만 넣으면 완성이다!"

고대하던 공간이동장치의 완성을 코앞에 둔 나는 들뜸을 감출 수 없었다. 밝은 노란 빛을 내뿜는 용액에 찾기가 가장 힘들었던 엘라니아 꽃가루를 넣어 공간이동장치의 연료를 완성했다. 나는 공간이동장치에 연료를 넣고 곧바로 테스트 이동을 하기 위해 작은 가방에 필요한 물건들을 챙기기 시작했다. 이동된 공간에 대해 적을 수첩과 필기구 그리고 행성 사전과 마지막으로 비상용 물까지 가방에 챙기고는 나는 공간이동장치의 버튼을 눌렀다. 목적지는 같은 은하에 속한 지구였다. 어렸을 적 할아버지, 할머니와 같이 연구하던 지구에 직접 갈 생각이었다.

강한 빛이 나를 감싸, 잠시 눈을 깜빡이고 나니 처음 보는 공간으로 이동되어 있었다.

"와, 이동에 성공했어!"

나는 챙겨온 가방에서 행성 사전 책을 꺼내었다. 책을 넘겨 '지구' 부분을 열어 주변 환경과 사전 속 모습을 비교했다. 녹색 풀들과 높은 건물들. 확실히 지구가 맞았다.

"지구에 있는 수많은 도시 중에서도 여기는… 대한민국의 서울이구나!"

어릴 적 할머니와 할아버지가 함께 조사했던 지구에 왔다는 사실이 나를 설레게 해주었다. 심장이 콩닥콩닥 뛰었다. 심호흡을 몇 번 하니 그제야 들뜬 기분을 진정시킬 수 있었다. 나는 호기심에 곳곳을 둘러보기 시작했다. 가방에서 수첩도 꺼내서 지금 보고 있는 이 모든 것들을 옮겨 적었다.

"지구의 건물은 딱딱하구나. 물도 거의 없어."

한창 메모하고 있을 때였다. 멀리서부터 바닥을 박차는 소리가 점점 커졌다. 고개를 돌려 확인하니 멀리서 한 아이가 달려오고 있었다. 불현듯이 어렸을 적 들었던 이야기가 생각났다.

"엄마, 오늘은 왜 다들 묵념하는 거예요?"

"음, 오래전에 우리의 우주 탐험가들이 문명이 만들어진 또 다른 외계행성을 탐험한 적이 있다는 건 알지? 그때 우리의 탐험가들이 외계행성에서… 못된 일을 당했단다. 외계인이라는 이유 하나 때문에 일어난 일이지. 우리가 묵념하는 건 그때 죽은 우리의 선조 물 인간을 추모하기 위해서란다."

'여기서 내 모습을 인간의 아이에게 들킨다면 나도 선조 물 인간처럼 될지도 몰라!'

아이가 얼른 지나가기를 바라면서 모습을 들키지 않기 위해서 근처에 있던 물웅덩이 들어가 몸을 숨겼다. 아이가 달리면서 내가 숨어있는 물웅덩이에서 내 몸의 일부를 밟았다.

"악!"

너무 아픈 나머지 나도 모르게 소리를 내버렸고… 물 밖으로 튀어 올랐다!

"아야야..."

인간 아이도 같이 넘어지며 정신 못 차리고 있는 사이, 나는 아팠지만, 아이에게 나의 모습을 들키지 않기 위해 다시 웅덩이 속으로 들어왔다.

정신 차리지 못한 채로 물속에서 마음을 진정하면서 인간 아이가 지나가기만을 기다렸다.

“분명 뛰어넘을 수 있을 줄 알았는데. 음. 이상하네.”

아이도 금방 다시 일어나고서는 옷에 묻은 물과 흙을 털어 내고 가던 길을 가기 시작했다. 아이가 멀어진 것을 확인하고 나는 조심스럽게 물 밖으로 나왔다.

“으아… 역시 아무런 준비 없이 지구로 오는 건 너무 무모했나. 집으로 가야겠어.”

지구에 처음 왔을 때처럼 심장이 콩닥콩닥 뛰었지만, 이유는 달랐다. 화려한 지구가 지금은 공포로만 느껴졌다. 나는 라메흐 행성으로 돌아가기 위해 공간이동장치를…

“어라? 어디 있지?”

마음이 급해서 그런지 가방 속에 있어야 할 공간이동장치가 손에 잡히지 않았다. 나는 가방을 열어서 눈으로 확인하며 찾았지만 없었다. 어디에 있는 거지? 나는 주변을 살펴보았다. 여기저기를 둘러보았다.

“여기 있었네. 드디어 찾았다.”

공간이동장치는 옆에 있던 화단에 있었다. 아까 아이와 부딪쳤을 때 화단으로 들어가 버린 모양이다.

“이렇게 지체 할 시간이 없어. 빨리 집에 가야지.”

나는 공간 이동 장치를 주워 들고서 가운데에 위치한 버튼을 눌렀다.

-탁.

“어라? 왜 이동이 안 되는 거지?”

내 주변의 환경이 바뀌기는커녕 장치의 뚜껑이 열렸다. 내 공간이동장치는 버튼을 누른다고 뚜껑이 열리지 않는다. 그러니까. 지금 내가 들고 있는 것은 공간이동장치가 아니다.

도대체 무슨 일인 거지. 나는 다시 아까의 상황을 되짚어 보았다. 아이가 달려와서 물웅덩이에 숨었고 아이가 나를 밟으며 나도 그 아이도 넘어졌다. 그리고서 아이의 긴 통이 주변에 떨어졌고, 내 장치도 떨어졌다! 이럴 수가. 아이의 물통과 나의 장치가 뒤바뀐 것임이 틀림없다. 그렇다면 내 장치는… 아이의 손에 있다.

뒤엉킴

나는 집을 나서기 위해 현관문 앞에 서서 부엌에 있을 엄마를 향해 크게 외쳤다.

"엄마, 다녀올게요!"

"유진아, 칫솔은 챙겼니? 충전기는?"

다급한 엄마의 목소리가 들려왔고 나는 신발을 마저 신으며 말했다.

"엄마, 세 번이나 확인했어요. 전부 다 챙겼으니까 걱정하지 마세요! 그리고 놓고 간 건 하리한테 빌리면 되고, 못 빌리면 다시 집에 오면 되죠! 어차피 하리네 집이랑 우리 집은 가까운걸요?"

엄마는 설거지하던 그대로 고무장갑을 끼고서 나가는 나를 배웅해 주셨다.

"그래, 이틀 동안 재미있게 놀고, 가끔 엄마한테 전화도 해 주고 알았지? 잘 다녀와 우리 딸."

나는 힘차게 고개를 끄덕이고는 현관문을 열고 집을 나섰다.

비가 그친 직후에만 맡을 수 있는 진한 흙 향기가 나를 반겨주었고, 길가에는 비가 그친 지 얼마 안 되었음을 알려주는 물웅덩이가 여럿 있었다. 아파트 단지를 나와서 길을 몇 차례 건너고 나니 오늘부터 이틀 동안 같이 파자마 파티를 하기로 한 하리가 사는 아파트 단지가 보여왔다. 아파트와 가까워지는 것만으로도 기분이 들떠져만 갔다. 빨리 하리와 만나기 위해서 나의 최대 속도로 빠르게 달렸다. 앞에는 물웅덩이가 점점 가까워졌지만, 지금의 내 속도라면 충분히 물웅덩이를 뛰어넘을 수 있을 것만 같았다. 힘차게 발을 굴러 뛰어 올랐다!

"흐읏!"

하지만 속도가 부족한 탓이었는지. 물웅덩이를 전부 넘지 못한 채 물의 한가운데로 떨어졌다. 물을 밟는 순간 나는 크게 넘어지고 말았다. 얼마나 크게 넘어졌는지, 가방 옆에 꽂아두었던 물병도 떨어졌다.

"아야야... 분명 뛰어넘을 수 있을 줄 알았는데. 이상하네."

나는 물에 젖은 내 바지 밑단을 털며 약간의 흙을 때어내고, 근처에 떨어진 내 보온병도 주웠다. 방금 뛰다 넘어졌다는 사실은 금방 까먹어 버리고 다시 나는 하리네 집까지 달려갔다. 어서 하리와 놀고 싶었기 때문이었다. 금방 엘리베이터에 도착했다.

-띠리링

주머니에 넣어두었던 핸드폰에서 전화벨 소리가 울려 퍼졌다. 핸드폰을 확인해 보니 '김하리'라는 이름 세글자가 보였다.

"여보세요? 하리야 나 거의 다 왔어."

-지금 어디까지 왔어?

"여기 엘리베이터. 지금 3층 지났어."

나는 숨을 돌리면서 이 여름날의 갈증을 해소하고자 가방 옆에 꽂아 두었던 물병을 꺼냈다. 물을 마시기 위해 핸드폰을 잠시 엘리베이터 손잡이에 세워두고, 보온병의 뚜껑을 눌렀다.

하지만 뚜껑이 열리기는 커녕 보온병에서 빛이 쏟아져 나오기 시작했다. 만약 내 눈앞에 태양이 존재한다면 이런 빛을 보게 되지 않을까. 나는 그런 강한 빛에 눈을 질끈 감아버렸다. 엘리베이터가 크게 흔들리면서 나는 균형을 잡지 못하고 그 상태로 넘어졌다.

인간 친구

'아까 아이가 뛰어간 방향이…'

그 아이가 뛰어간 길을 향해 달렸다. 얼른 그 아이를 찾지 못하면 집에 갈 수 없다는 생각에 마음이 급해졌다. 그렇게 그 아이가 뛰어간 길을 향해 달리니 그 아이의 모습이 보였다. 그 아이를 본 거만으로 집에 돌아갈 수 있을 거라는 생각에 잠깐 안도감이 든 순간. 다시 아이를 놓치고 말았다. 잠깐의 방심으로 아이를 놓치게 되었다! 급하게 주변을 둘러보았지만, 그 아이의 모습은 보이지 않았고 낯선 곳에 혼자 남게 되었다.

'이대로 집에 못 돌아가면 어떡하지.'

하지만 포기할 수 없었다. 나는 위험을 무릅쓰고 계속 숨으며 이 근처를 맴돌았다. 다행히 얼마 지나지 않아 한 아이가 건물에서 나오는 걸 볼 수 있었다. 아까 정신이 없어서 아이를 제대로 보지 못했지만, 똑같이 푸른색 옷을 입고 있었고 키도 비슷했고 손에 무언갈 들고 있었다. 아까의 그 아이라고 단정 짓고 천천히 조심스레 다가갔다. 조금 더 가까이 가니 그 아이의 손에 들린 건 공간이동장치가 아닌, 그냥 네모난 무언가였다.

"어?"

이런, 인간의 아이와 눈이 맞아버렸다! 도망쳐야 하는데. 숨어야 할 곳을 빠르게 살펴보지만, 주변에 숨을 곳은 없었다. 아이가 눈을 비비고 있는 순간을 틈타 나는 들고 있었던 물병 속으로 몸을 구겨 넣어 숨겼다. 아이가 멀어지길 기다리면서. 깜깜한 물병 속에서 그냥 기다렸다.

'제발 날 신경 쓰지 말고 지나가 줘.'

그런데 갑자기 붕 뜨는 느낌이 들었다. 곧이어 강한 흔들림이 이어졌다.

'으아, 물병을 들고 이동하고 있는 건가? 이럴 수가.'

작은 병 속에서 한참을 그렇게 흔들리며 가고 있었다. 이대로 지구인한테 납치당하는 건 아닐까? 나도 선조 물 인간처럼 실험당하면 어떡하지? 오만가지 생각이 나를 괴롭혔다. 전해지지 않을 것을 알면서도 라메흐에서 나를 기다리고 있을 가족들에게 할 마지막 말을 생각하고 있던 그때, 흔들림이 멈추었다. 인간이 내가 있는 이 물병을 어딘가에 내려놓은 것이 틀림없다. 지금이라면 인간이 없을 것이라 생각한 나는 지금 이곳이 어디인지 알기 위해 물병 밖으로 나와서 주변을 둘러보았다.

그때 어디선가 시선이 느껴졌다. 그곳을 쳐다보니 아이가 날 바라보고 있었다. 좁은 공간이었기에 도망갈 수 없어 고민하던 그때 그 아이가 소리쳤다.

"뭐야! 괴물이다!!"

"으악!!"

아이의 소리에 나도 놀라 같이 소리 질러버렸다.

"괴물이 우리 집에… 경찰에 신고해야 해!"

신고? 아이가 나를 신고하면 인간 연구원들이 나를 찾아와서 나에게 못된 짓을 하게 될 거야. 신고하는 것은 막아야만 한다. 나는 과거에 연구했던 인간의 대화 체계를 기억해 내고 입을 움직여 말했다.

"신고는 하지 마!"

"으아, 괴물이 말한다!"

인간 아이는 뒷걸음치며 이 공간에서 나가 벽에서 고개만 빼꼼 내밀고 대치 상태가 되었다. 생각해 보니까 화가 난다. 괴물이라니 내가 그렇게 무섭게 생겼나? 아니 나도 라메흐 행성에선 평범한 물 인간일 뿐인데. 인간에게 실험당해 죽더라도 이 말은 하고 죽어야겠다.

"괴..괴물이라니. 너무하잖아. 이곳에 인간이 있는 것처럼 나도 우리의 라메흐 행성에 사는 물 인간일 뿐이라고. 괴물이 아니라 오히려 외계인이지."

"외계인이 말한다는 이야기는 처음 들었어."

"괴물이 말하는 것보단 외계인이 말하는 게 현실성 있잖아."

나는 이상한 논리로 아이를 설득했다. 아이는 여전히 못 믿는 눈치였고 우리는 여전히 벽을 하나 둔 상태로 대치하고 있었다. 입을 먼저 연 건 나였다.

"나는 이것처럼 생긴 긴 통을 원해. 네가 가지고 있지?"

나는 옆에 놓인 공간이동장치와 유사한 긴 통을 가리켰다. 인간의 아이가 조심스럽게 다가와 내가 가리킨 통을 보더니 자리에서 멈췄다.

"이건… 유진이 보온병이잖아?"

"이게 네 것이 아니야? 잠깐만 그럼 이 병 주인은 누군데? 그 아이는 어디 있는데?"

"나도 몰라. 유진이가 엘리베이터에서 사라져서 난 유진이를 찾으러 내려갔던 거야. 거기서 유진이 물병을 보고 들고 온 것뿐이라고."

지금 상황을 정리해 보면 공간이동장치와 이 보온병이라는 물건이 뒤바뀐 사람은 내 눈앞에 있는 이 아이가 아니라 유진이라는 이름의 다른 아이이고. 그 아이는 사라졌다. 그렇다는 건. 유진이가 공간이동장치를 가동했고 라메흐로 이동되었을 가능성이 높다. 망연자실해졌다.

"일단 인간 아이야, 상황을 설명해 주자면, 일단 나는 공간이동장치를 찾기 위해서 유진이라는 아이를 따라가다가 그 아이를 놓쳤고, 그때 네가 나타났어. 나는 네가 유진이라고 생각했고, 너에게서 공간이동장치를 되찾으려고 했던 거야. 근데 너는 유진이가 아닌 거지. 지금 나도 당황스러워."

"그럼, 공간이동장치가 유진이 손에 있는 거야?"

"그런 것 같아. 근데 문제는 유진이가 사라졌고 못 돌아올 것이라는 거야. 내 생각엔 그 아이가 공간이동장치로 내가 살고 있던 라메흐 행성으로 간 것 같아."

아이의 눈이 엄청나게 커졌다.

"유진이가 못 돌아온다고?"

나는 고개를 끄덕였다. 아이의 표정이 점점 안 좋아지더니 눈에 눈물이 고였다. 그러고는 톤이 낮아진 목소리로 아이가 말했다.

"내 친구가 돌아올 방법이 진짜 없는 거야..?"

"응. 그 공간이동장치는 내가 만든 건데, 딱 한 번 더 이동할 정도의 연료만 남아있는 상태였어. 이미 라메흐 행성으로 갔다면 연료가 부족해서 못 돌아올 거야."

"연료를 만들면 되잖아."

"내가 연구하던 자료를 들고 와서 재료 찾기가 어려울 거야. 연료 재료를 알게 된다 해도 구할 수 없을 거야. 내가 사용한 재료 하나가 이제 우리 행성에 없거든."

내가 이렇게 말하니까 아이의 눈물이 얼굴을 타고 내려왔다. 유진이라는 아이도 이제 못 돌아올 테지만 나도 집에 돌아갈 수 없었다. 이렇게 생각하니 내 눈이 촉촉해졌다.

그렇게 몇 분이 지나고 조용한 이곳에서 문득 할아버지와 대화했던 어릴 적이 떠올랐다.

"모리야, 이 데이터들을 보면 어떤 걸 알 수 있을까?"

"음, 잘 모르겠어요."

할아버지는 크게 웃으셨다.

"보렴, 라메흐 행성에 있는 것들이 지구에도 비슷하게 존재한단다. 그러니까 라메흐와 지구는 매우 유사하지."

그래, 할아버지가 라메흐와 지구는 유사하다고 했다. 그러니까 연료를 만들기 위한 재료가 지구에도 있을 수 있다. 이런 생각이 들자마자 난 아이에게 다가가 말을 걸었다.

"아이야 잘하면 네 친구를 다시 지구로 돌아오게 할 방법이 있어!"

내가 그렇게 말하자 계속 울고 있던 아이의 표정이 조금 밝아졌다. 그런 아이를 바라보며 방법을 설명했다. 지구에서 공간이동장치를 만들고 돌아가서 유진이를 다시 지구로 돌려보내는 것이다. 방법을 이야기하고 아이의 표정을 보았는데 조금 밝아졌던 표정이 다시 우울한 표정으로 바뀌었다. 그 표정을 보고 뭘 생각하는지 눈치채고, 아이에게 밝은 목소리로 말했다.

"걱정하지 마! 장치의 본체는 이 물병을 약간 바꾸면 되고 연료의 재료는 구하기 어렵지 않으니까 걱정하지 않아도 된다고! 하나가 문제이긴 하지만…"

"어? 뭐라고? 마지막에 못 들었어. 다시 말해줘."

"아, 아무것도 아니야."

마지막은 작게 말했더니 아이는 듣지 못한 모양이었다. 아이의 표정이 순식간에 밝아져 다행이라는 듯한 표정 지어 보였다. 내가 재료를 찾기 위해 지구에 있는 동안 인간 아이의 도움이 많이 필요하다. 나 혼자서는 이곳을 제대로 탐험할 수 없을 테니까. 그러면.

"나는 라메흐 행성에서 온 모리라고 해. 내가 이곳에서 재료를 찾고 나의 행성에 돌아갈 때까지 날 도와줄 수 있어? 나 혼자서는 해낼 수 없을 것 같아."

아이는 조금 고민하더니 고개를 끄덕였다.

"알겠어. 유진이를 데리고 올 수만 있다면 내가 널 도와줄게. 나는 김하리라고 해. 그냥 하리라고 부르면 돼."

"고마워. 하리야. 우리가 찾아야 하는 재료들이 무엇이냐면…"

나는 머리속에서 필요한 재료들을 떠올려 하리에게 말해주었다.

"아리아 정수하고 바람꽃 줄기, 물나비의 날개, 열구름 그리고 검은 콩 마지막으로 엘라니아꽃의 가루가 필요해."

내가 말한 재료를 듣고 난 하리는 갸웃거렸다.

"검은콩 말고는 네가 말한 재료들이 어떤 재료인지 모르겠어. 일단 검은 콩부터 보여줄게. 일로 와 우리 집에 있어."

하리가 앞장서서 방문을 열고 나갔다. 나는 그런 하리를 따라갔다. 하리를 따라간 곳에는 하얀색의 큰 직사각형 기계 앞이었다.

"이 기계는 뭐야?"

처음 보는 장치에 내 눈은 동그래졌다. 이 기계는 어떤 기계인지 궁금해져 기계의 주변을 둘러보았다.

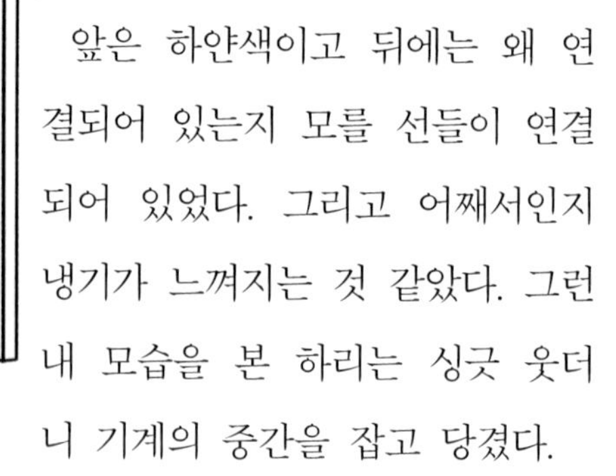

앞은 하얀색이고 뒤에는 왜 연결되어 있는지 모를 선들이 연결되어 있었다. 그리고 어째서인지 냉기가 느껴지는 것 같았다. 그런 내 모습을 본 하리는 싱긋 웃더니 기계의 중간을 잡고 당겼다.

"오오! 열린다. 이건 문인 거야?"

"아니 이건 음식을 보관하는 냉장고라는 거야. 음식을 시원하게 보관해 줘. 검은 콩은… 여기 있다."

하리는 까치발을 들고 높은 곳에서 투명한 통에 보관된 윤기 나는 검은색 콩을 꺼냈다.

"이게 검은콩 자반이거든. 나는 별로 안 좋아하지만, 아빠가 좋아해서 집에 많아. 네가 말한 검은콩이 이거지?"

아무리 살펴보아도 검은콩 자반은 내가 찾던 검은콩이 아니었다.

"으음, 이건 내가 찾던 검은콩이 아니야. 너무 새까매. 이건 마치 우주 같잖아. 근데 내가 찾는 건 조금은 옅은 콩이야. 먹으면 써. 향기는 좋아. 근데 그 향기를 여기 지구 와서도 몇 번 맡아본 거 같아."

그러고 보니 하리네 집에서도 약하지만 느껴졌다.

"지금 너희 집에서도 느껴지는데… 음 이쪽이야."

나는 냉장고를 지나쳐 투명한 유리문을 열고 또 다른 방으로 넘어갔다.

"모리야 여긴 다용도실인데? 딱히 콩은 여기에 없…. 아! 커피 원두를 말하는 거야?"

하리가 발 받침대를 꺼내더니 높은 선반 위에 있는 봉지를 나에게 건네어 주었다. 그 봉지에선 익숙한 검은콩의 향기가 느껴졌다.

"맞아, 이 향기야."

봉지를 조심스럽게 뜯어 검은콩을 꺼냈다.

"여기선 검은콩을 커피 원두라고 부르는구나. 그러면 다른 재료들도 여기선 이름이 다를지도 모르겠어."

"와, 그럴 수도 있겠다! 네가 말한 재료들이 어떻게 생긴 건지 알려줄래? 여기에도 있을지도 모르잖아."

"음 아리아 정수는 만지면 톡 쏘는 느낌이 드는 물이야."

"톡 쏘는 느낌? 생각나는 게 하나 있어!"

하리는 다용도실에서 나가 냉장고에서 검은 액체의 무언가를 꺼내고는 나한테 말했다.

"이건 콜라라는 건데 마시면 톡 쏘는 음료수야!"

난 그 말을 듣고 콜라라는 액체를 만져보았다.

"음 아리아 정수는 이거보다 톡 쏘는 물이고 이거보다 투명한 물이야."

"그래? 투명하다라…. 그러면 이거이려나?"

하리가 냉장고 문을 열고 또 다른 액체를 꺼내어 보여주었다.

"이건 사이다라는 음료인데 콜라보다 톡 쏘는 음료야. 게 다가 투명하지."

사이다 한 방울을 내 손 위에 올려 확인했지만, 사이다는 아리아 정수랑 달랐다. 아리아 정수에 비해 너무나 달았다. 무언가 이상한 것들이 더 섞여 있는 것 같았다.

"음… 근데 이건 비슷하긴 한데 뭔가 조금 달라. 단맛이 없어야 해."

"단맛이 없어야 한다고? 그러면 음 뭐가 있지…"

"그냥 이 톡 쏘는 느낌만 있는 물은 없어?"

"톡 쏘는 느낌만 있는 물?"

사이다를 다시 냉장고 안에 넣은 하리는 한참을 생각하더니 금방 입을 열었다.

"아! 탄산수일지도 모르겠다."

"탄산수? 뭔지는 몰라도 쉽게 구할 수 있는 거야?"

"우리 집 앞 마트에 많이 있어. 구하는 건 쉬울 거야. 지금 바로 갈까?"

바로 구할 수 있어서 다행이라고 생각했다.

"좋아. 바로 구하러 가자!"

"잠깐만."

하리가 부엌의 식탁 위에서 손바닥만 한 네모난 플라스틱을 들고 왔다. 처음 보는 물건에 궁금해져서 하리에게 물어보았다.

"하리야 손에 든 네모난 건 뭐야?"

"이건 카드라는 건데 이게 있으면 물건을 살 수 있거든. 엄마가 출장 가시면서 배고플 때 뭐 사 먹으라고 두고 가셨어. 이런 카드를 특별히 엄카라고 불러. 엄마의 카드를 줄인 말이지."

하리는 자신감 넘치는 포즈를 취하며 나에게 카드를 보여주었다.

"이것만 있으면 모든 걸 해결할 수 있어. 만능이지!"

"오오 만능카드! 신기해!"

모든 걸 해결 할 수 있는 카드가 지구에 있다니, 지구의 기술력도 대단한 것 같다.

"그럼, 이제 재료를 사러 나가보자."

문을 열고 나가려던 순간 하리는 문을 도로 닫고서 몸을 돌려 나를 바라보았다. 무슨 일이지?

"모리야, 근데 너 그렇게 나가도 괜찮은 거야? 나도 너 처음 봤을 때 매우 당황했는데, 다른 사람도 그러지 않을까?"

하리의 말에 나는 선대 물 인간이 겪었다던 안 좋은 일들이 나에게도 일어날 수 있다는 생각이 들어 조금 겁이 났다.

"으우... 난 실험 같은 거 당하기 싫어. 역시 이 상태로 나가기는 힘들 거 같네. 어떡하면 좋지."

하리가 고민하는 듯한 소리를 내더니 "아!"라는 탄성과 함께 다시 부엌으로 가서 투명한 플라스틱병을 나에게 내밀었다.

"아까 보온병에 들어갔던 것처럼 여기에 들어가는 건 어때? 투명하니까 들어가서도 네가 밖을 볼 수 있을 거야."

"좋은 생각인 거 같아"

나는 아까 보온병에 들어갔던 것처럼 병에 들어갔다. 아까 보온병에서는 밖을 볼 수 없었는데, 이곳에서는 밖이 잘 보였다.

"하리야 안에서 밖이 잘 보여. 이대로 가자."

하리가 고개를 끄덕이고는 신발을 신고 현관문을 열었다.

그렇게 우리는 하리의 집을 나와 마트로 가기 위해 엘리베이터에 탔다. 엘리베이터는 정말 신기했다. 들어가서 버튼 하나만 누르고 잠시 기다리면 어느새인가 도착하여 밖으로 나갈 수 있기 때문이다. 엘리베이터 안을 구경하다 보니 벌써 아래층에 도착해서 하리와 밖으로 나와 마트로 향했다.

난 마트로 향하면서 많은 지구 사람과 동물들을 보았다. 네모난 무언가를 귀에 대고 말하는 사람도 있고 작은 동물을 데리고 걷는 사람도 있었다. 그렇게 구경하고 있었는데 하리가 멈춰 섰다. 난 왜 멈추었는지 궁금하여 작게 물었다.

“하리야 왜 멈춘 거야?”

하리는 주변을 둘러보고는 작게 대답했다.

“앞에 빨간 불 보여? 저 불이 빨간 불 일 땐 건너면 안 되거든.”

“그렇구나. 인간 세상은 돌아다니기 불편하네.”

그렇게 대화를 끝내니 초록 불이 들어왔다. 하리는 다시 마트를 향해 걷기 시작했다. 그렇게 몇 분을 걸었을까. 하리가 어떤 건물로 들어가며 나에게 말해주었다.

"이곳 지하에 마트가 있어."

"얼른 들어가자!"

우리는 지하로 내려갔다. 지하로 내려와 자동으로 열리는 문을 지나 들어가니 넓은 공간과 수많은 식재료와 물건들이 진열되어 있었다. 하리는 마트 입구에 있는 사람에게 발랄하게 인사했다.

"안녕하세요. 이모!"

"어머, 108동 사는 하리 아니니, 오랜만이네."

아는 사이인 듯 보였다. 둘은 친근하게 인사를 나누었다. 인사를 나누고 하리는 주스 판매대로 이동했다.

그러고는 하리가 탄산수를 들어 나에게 보여주었다.

"이게 탄산수라는 거야. 네가 말한 것처럼 톡 쏘는 맛이지."

난 주스 진열대를 보며 신기해하며 말했다.

"와, 이런 곳이 있을 줄은 몰랐네. 지구는 다양한 물들을 파는구나 신기하네."

하리는 탄산수를 들고는 사람이 서 있는 곳으로 가서 만능카드를 이용하여 탄산수를 사고 나왔다.

그러고는 건물의 계단에 앉더니 하리가 말했다.

"모리야 이게 네가 말한 그 아리아 정수가 맞는지 확인해보자."

하리는 탄산수가 들어있는 뚜껑을 열어 뚜껑에 살짝 따르고는 나에게 건네주었다.

난 탄산수의 맛을 보고는 하리에게 밝은 목소리로 말했다.

"음. 맞아! 맞아! 이거야! 아리아 정수랑 완전 똑같은 맛이야!"

"정말 다행이다. 벌써 2개나 구했네. 다른 재료들도 얼른 찾아보자!"

"좋아. 다음으로 찾을 재료는 바람꽃 줄기야."

"바람꽃 줄기? 그건 어떻게 생긴 거야."

"먼저 바람꽃은 보송보송하고 하얀 잎이 있는 꽃이래. 나도 꽃잎은 본 적은 없어. 내가 볼때면 항상 줄기만 남아있었거든. 바람꽃 줄기는 그 꽃의 줄기야"

"보송보송하고 하얀 잎을 가진 꽃의 줄기?"

하리는 내가 말한 꽃이 무엇인지 고민하는 듯했다. 하리가 고민하는 동안 난 가만히 기다렸다.

몇 분이 지나고 계속 열심히 고민하던 하리는 생각난 듯 나에게 말했다.

"아, 뭐인지 알겠다. 안개꽃이구나. 안개꽃이 하얗고 보송보송해 보이거든."

"안개꽃? 뭔지는 모르겠지만 구하기 쉬운 거야?"

"응. 이 근처 상가에 있는 꽃가게에서 흔히 볼 수 있는 꽃이야."

"꽃 가게? 그게 뭐야?"

"음, 꽃 가게는 많은 꽃을 판매하는 곳인데 정말 다양한 꽃들을 볼 수 있어."

"그렇구나. 지구에는 다양한 것들을 판매하는 가게들이 가득한 것 같네."

"그러면 바로 출발하자."

그렇게 우리는 건물에서 나와 꽃 가게가 있는 상가로 향했다. 우리가 상가에 가까워질 때마다 사람들이 많아지고 높은 건물들과 다양한 색의 기계들이 지나다니는걸 볼 수 있었다. 우리 행성 라메흐에서는 볼 수 없던 광경들이었기에 너무 신기해 눈을 뗄 수 없었다. 다양한 색의 기계들을 구경하고 있었는데 하리가

어떤 건물을 보며 작게 말했다.

"도착했어. 우리 마을에서 가장 많은 종류의 꽃이 있는 '캔디 플라워'라는 꽃 가게야."

하리는 그렇게 말하고는 가게 안으로 들어가 꽃다발을 만들고 있는 가게 주인에게 안개꽃이 어디에 있는지 물었다.

"저기 아줌마 안개꽃을 좀 보고 싶은데, 어디에 있나요?"

"안개꽃은 수선화 옆에 있는 냉장고에 있단다."

"아 감사합니다."

아까 하리네 집에서 본 하얀색의 큰 냉장고를 생각하고 있었는데. 가게 주인이 가리킨 곳에 있는 건 투명한 상자였다. 안에는 다양한 꽃들이 자리 잡고 있었다. 하리가 냉장고 근처로 다가가자, 미세하게 냉장고로부터 냉기가 흘러나와 나를 시원하게 만들었다. 아까의 냉장고랑 지금의 냉장고랑 모양은 다르지만. 냉기가 나오는 것이 똑같았다. 냉장고는 냉기로 물건을 보관하는 장치를 지칭하는 말인 듯했다. 생각이 끝날 때쯤, 하리가 작게 속삭였다.

"이게 안개꽃이란 거야."

하리가 가리킨 안개꽃은 내가 찾는 바람꽃과 전혀 다른 꽃이었다. 하리에게 안개꽃이 우리가 찾는 꽃이 아니란 걸 말해주기 위해 시선을 돌리다가 내 눈에 들어온 하나의 꽃에 시선이 갔다.

"어? 저거. 저거!"

익숙한 모양에 흥분한 나머지 소리를 너무 크게 내버렸다. 말을 내뱉고 나니 소리가 너무 커서 나도 당황했다. 하리도 당황한 나머지 우왕좌왕하고 있자, 가게 주인이 다가와 버렸다.

"꼬마 손님. 무슨 일 있어요?"

"아…아무것도 아니에요. 그냥 너무 예쁜 꽃이 있어서 놀랐어요. 헤헤."

"그래요? 이 꽃이 예쁘지? 이 꽃은 수국이라고 하는 꽃이야. 색감이 예쁘지?"

가게 주인은 꽃을 자랑하듯 수국에 대해서 이것저것 알려주기 시작했다.

"수국은…"

말을 이어가던 도중에 조금은 멀리 떨어진 곳에서 큰 소리가 들려왔다.

"아유, 언니. 우리 꽃다발 좀 얼른 만들어줘. 나 지금 급하단 말이야."

나이가 조금은 있어 보이는 인간이 가게 주인을 부르는 소리였다.

"아, 갈게요. 꼬마 손님 조금 둘러보고 있어요~."

이 말과 함께 가게 주인은 우리의 시야에서 벗어났다.

하리와 나는 한숨을 돌리며 조심조심 소곤소곤 대화를 시작했다.

"모리야, 도대체 무슨 일이야?"

"미안해. 저쪽에 이 꽃이 재료 중 하나인 열구름이야. 우리 행성 라메흐에서 보던 열구름이랑 완전 똑같아."

"응? 어떤 꽃 말하는 거야."

"저 빨간 꽃 옆에 하얀 솜이 달린 꽃말이야."

"하얀 솜이 달린 꽃이면 목화야. 이게 열구름이라고? 열구름도 꽃이었구나."

하리는 열구름, 아니 목화를 한 송이를 들고 나에게 다시 말을 걸었다.

"생각지도 못한 수확이네. 그럼, 이 안개꽃은 네가 찾던 바람꽃이야?"

다시 한번 제대로 봐도 안개꽃은 바람꽃이랑 전혀 다른 생김새였다.

"아니. 이건 바람꽃이 아니야."

"그럼, 바람꽃은 도대체 뭐지? 음… 내가 이 꽃가게를 한 바퀴 돌아볼 테니까 네가 보고서 바람꽃이나 다른 재료 있는지 확인해 봐. 우연히 발견할지도 모르잖아."

"좋은 생각이야."

그렇게 하리가 꽃가게를 한 바퀴 돌아보았지만 더 이상 필요한 재료는 보이지 않았다.

하리는 그 만능카드로 목화를 구매하고는 가게를 나왔다. 가게를 나오니 하늘을 보았다.

하늘의 해가 낮게 떠 있었다. 하리가 네모난 기계를 확인하더니 말했다.

"벌써 6시잖아. 우리 오랫동안 나와 있었네. 얼른 집으로 돌아가자."

"근데 하리야 네 손에 든 그 네모난 기계는 뭐야?"

"이건 핸드폰이라는 거야. 이거로 수많은 최신 정보랑 또 다른 핸드폰에 연락도 가능하게 해주는 기계야. 인간들의 생활에는 필수지."

"아하. 우리 행성에도 비슷한게 있어."

"오 진짜?"

"유리판 위에 홀로그램이 뜨는 기계인데 이름은 '글래어' 라고 불러."

하리와 대화하면 할수록 지구와 우리 행성 라메흐는 비슷한 듯 다른 곳인 것 같다.

"그보다 빨리 집에 가자. 엄마가 늦게 들어가지 말라 그랬어."

그렇게 우리는 집으로 향했다. 집으로 가는 길에 하리가 무언가를 보고는 말했다.

"어? 저건."

하리는 길 구석에 작게 피어있는 꽃의 옆에 다가가서 쭈그리고 앉더니 병 속 나에게 보여주며 말했다.

"모리야, 이거 봐. 민들레야."

"민들레? 엄청 보송보송해 보이는 꽃이네.
정말 이쁘다."

"모리야 그거 알아?"

"뭐 말하는 거야?"

"민들레는 원래 밝은 노란색을 가진 꽃이다?"

"정말? 하지만 지금은 이렇게 하얀색인데. 왜 이렇게 변하는 거야?"

"민들레는 원래 처음에 자라났을 때 노란 꽃인데. 꽃이 지면서 이렇게 변해."

"와 그렇구나. 지구의 식물은 신기하네."

하리가 들고 있는 민들레를 구경하고 있었는데 갑자기 하리가 꽃을 꺾고서 나에게 신기한 걸 보여주겠다고 말했다. 신기한 것이 어떤 걸까 생각하며 하리의 다음 행동을 기다렸다. 그러자 하리는 '후'하고 입으로 바람을 불었다. 하리의 바람을 타고 하얀 민들레의 씨앗들이 하늘로 날아가기 시작했다. 푸른 하늘에 하얀 점들이 점점 우리랑 멀어져갔다.

나는 그 광경을 보며 무언가가 떠올랐다. 우리 행성에서 한 번씩 지상으로 올라갔을 때 바람꽃 들판에서 자주 보았던 장면 같았다. 하리의 손에 남겨진 민들레의 줄기를 보자 깜짝 놀라 소리쳤다.

"어! 이건 바람꽃 줄기잖아!"

하리는 내가 갑자기 소리쳐서 놀랐는지 민들레 줄기를 놓쳤다. 나는 진정하고 하리에게 말했다.

"하리야 저 줄기가 내가 말한 바람꽃 줄기야."

"정말이야?"

하리는 떨어트린 민들레의 줄기를 다시 집어 들었다. 그러고는 나에게 보여주며 다시 물었다.

"정말 이게 바람꽃 줄기란 말이야?"

"응. 이게 맞아. 하얀 씨앗들이 남아있을 땐 알아보지 못했지만 지금 보니 확실해."

내 확신에 찬 말을 들은 하리는 민들레 줄기를 가방에 챙겨 넣었다. 그러고는 밝은 목소리로 말했다.

"와 벌써 4개나 찾았네. 이렇게 찾으면 금방 재료를 다 찾을 수 있을 거 같아."

재료를 4개나 찾은 하리는 경쾌한 발걸음으로, 집으로 돌아갔다. 집에 도착한 우리는 오늘 찾은 재료 4개를 모두 가방에서 꺼내어 책상 위에 정리했다. 집으로 돌아갈 기회에 한 발짝 다가간 것 같아서 뿌듯했다. 나는 하리를 따라 인간의 잘 준비를 따라 하며 우리는 잘 준비를 마쳤다.

하리가 잠옷을 입고 나서 나에게 물어보았다.

"근데 모리야. 너도 침대에서 자?"

"응, 우리 행성에는 물침대가 있어, 안에는 물로 채워져 있고 동그란 방울 모양이지. 우린 거기 안에서 자. 자고 있을 땐 우리 형체를 유지하는 게 어렵거든. 그래서 침대가 우리가 물에 따라 흘러가지 않도록 우리를 고정해 줘."

"음… 근데 이곳에는 그런 방울이 없어."

하리가 머리를 부여잡고 끙끙거리며 고민했다. 나도 집을 다시 둘러보며 비슷한 것이 있는지 확인해 보았다.

"안에 물이 담길 수 있는 큰 공간… 욕조? 아까 화장실에서 봤던 욕조는 어때?"

하리는 나를 이끌고 아까 양치라는 걸 했던 화장실로 데려갔다. 화장실 한쪽에 커다랗게 자리 잡은 하얀 구조물을 가리키며 하리가 말해주었다.

"이게 욕조라는 거야. 인간이 물을 담아 두고 씻는 곳이지. 한번 들어가 봐. 여기에 물을 채워주면 동그란 방울 형태는 아니지만 너희 행성에 있는 물침대와 비슷하지 않을까?"

하리의 말을 들은 나는 욕조 안으로 들어가 보았다. 안에 들어가 보니 물침대와 크기가 비슷했다. 물론 형태는 달랐지만.

"어때?"

"물만 있으면 완전 비슷해!"

하리가 벽에 붙어있는 금속 장치를 만지더니 금방 물이 금속을 타고 흘러나왔다. 물은 점점 차올라 딱 알맞은 위치까지 높아졌다.

"하리야, 이 정도면 될 것 같아."

나는 채워진 물속에 편하게 누웠다. 물이 나를 감싸 주는 것 같아 마치 '라메흐'에 있는 우리 집에 있는 것만 같았다.

"하리야, 최고야."

노곤노곤해져 잠이 솔솔 왔다. 이런 내 모습을 본 하리는 웃으며 잘 자라고 말해주었다. 오늘 하루가 너무 피곤했기 때문일까? 나는 금방 잠에 들었다.

집이 그리워서일까 나는 라메흐 행성에서 할머니, 할아버지와 함께 있던 추억을 꿈으로 꾸었다.

라메호

“으윽, 머리야.”

머리를 부여잡으면서 눈을 떴다. 눈을 뜨자 내 눈에 보인 건 익숙한 집의 천장이 아니었다. 마치 크고 푸른 유리구슬 속 같았다.

“여기가 도대체 어디지?”

상체를 일으켜 주변을 둘러보았다. 동시에 내 눈은 커질 수밖에 없었다. 이곳은 완전히 처음 보는 세상이었다.

“이건… 침대인가?”

상체를 일으키기 위해 손으로 바닥을 짚고 힘을 넣었…

“으악.”

팔로 몸을 지탱해서 상체를 일으켜야 하지만 순간적으로 손이 아래로 푹 꺼졌다가 올라왔다. 갑작스러운 감촉에 당황하고 말았다. 누워있는 이건 내가 알고 있는 침대가 아니었다. 침대보다도 더 폭신하고 침대와 닿아있는 피부는 무척 시원했다. 다시 손으로 침대를 짚고 상체를 일으켰다. 이번엔 놀라지 않고 올라왔다. 상체를 일으키니 침대를 눈으로 확인할 수 있었다. 젤리처럼 투명하고, 푸딩처럼 말랑하다. 도대체 여긴 어디인 건지 전혀 감도 안 온다. 침대에서 일어나서 바닥을 밟으려던 참에 이상한 점을 두 개 더 알았다. 하나는 내가 신발과 가방이 없다는 것. 둘은 바닥이 모래라는 것. 맨발로 모래를 밟으려니 거부감이 느껴졌지만 잠시 고민하다가 발을 바닥으로 내렸다. 이 침대 위에서만 있으면 이곳이 어디인지 알 수가 없기 때문이다. 신발 없이 모래를 밟으니, 모래의 얇은 입자가 발바닥으로 느껴졌다. 해수욕장에서 느꼈던 모래사장의 모래보다도 더 고와서 걱정하던 것처럼 발이 아프기는커녕 엄청 편하고 부드러웠다.

"모래도 시원하네."

내가 누워있던 물 젤리 침대도 시원했고, 모래도 시원하다. 차갑지는 않지만, 모래를 밟고 있으면 모래의 시원한 감촉이 느껴져 왔다.

"바닥엔 고운 모래가 있고, 내가 누워있던 건 젤리 같고, 공간은 둥그런 반투명 유리로 막혀있어. 그리고 밖에는 물인 건가?"

반투명한 유리 때문에 밖이 잘 보이진 않았지만, 푸른 빛이 일렁거리는 게 꼭 물 같았다. 학교에서 책상 위에 투명한 물병을 올려두었던 날 보았던 그 광경과 비슷했다. 창밖에서부터 강한 빛이 교실로 들어와 책상 위 물병을 거쳐 바닥에 연한 그림자가 지는데. 그림자는 물의 움직임에 따라 일렁거렸다. 지금 보고 있는 이 일렁거림이 그때와 똑같다.

모래 위를 조심히 걸으며 이 장소를 감싸고 있는 유리에 다가갔다. 조심스럽게 손을 뻗어 반투명한 유리 위에 손을 올려보았다.

반투명 유리인 줄 알았건만, 만져보니 유리가 아니었다. 음… 풍선 같았다. 근데 그냥 풍선은 아니고.

"물풍선?"

물풍선에서 느낄 수 있는 뾰잉뾰잉한 감각이 이 벽에서도 느껴졌다.

벽을 만지면서 벽을 따라 이 공간을 둘러보았다. 이상하게

도 나갈 수 있는 공간은 없었다.

"음, 꿈을 꾸고 있는 건가?"

이런 합리적인 생각도 하며 벽을 따라 걷고 있던 도중. 반대편 벽이 꿀렁거리더니 벽을 통과해 무언가가 이 공간으로 들어왔다. 뒷걸음쳐 내 등을 벽에 딱 붙였다. 도대체 이게 무엇이지?

"덩어리..?"

푸른 덩어리였다. 자세히 보니 그들의 몸 안에서는 탄산처럼 공기 방울이 보글보글했다. 꼭 만화영화에서나 보던 젤리 형태의 외계인처럼 생겼다.

이제야 알았다! 이곳은 신규 영화 촬영장인 것이 분명했다. 최근에 영화 촬영은 대부분 CG로 처리하지만, 아날로그를 고집하는 감독 중에는 실제 같은 분장으로 현실감을 높이는 감독이 있다는 것을 들었다. 그러니까 저 둘은 물 덩어리 외계인을 연기하고 있는 배우들인 것이 분명했다. 내 앞에 있는 것이 배우라는 걸 알게 되니 마음이 한결 편해졌다.

"안녕하세요? 제가 이곳에서 길을 잃은 것 같은데. 이 세트장에서 나갈 수 있게 도와주세요."

물 덩어리 외계인을 연기하고 있는 두 사람에게 다가가 말을 걸었지만, 돌아오는 대답은 아무것도 없었다. 두 사람은 그저 여전히 인형 탈을 쓴 채로 나를 보고 있을 뿐이었다.

"저기요?"

그제야 그들은 움직이기 시작했다. 물 덩어리를 쓴 연기자 둘은 입을 열어 서로 대화하는데, 익숙한 음성이 아닌 보글보글하는 소리가 들렸다.

"oOOooOOOoOOoo"

"oOooooOOOOOo"

영화를 촬영하고 있어서 물 외계인이라는 컨셉을 지키기 위해 저렇게 말하고 있는 걸까?

고개를 들어 주변을 살폈다. 내가 누워있던 침대에도 이 벽에도, 바닥에도 어느 곳에도 촬영용 카메라는 안보였다. 촬영하는 것도 아닌데 왜 저들은 보글보글하며 대화하는 거지? 둘은 몇 차례 대화를 나누더니 나에게 손을 내밀었다. 무슨 의도인지 모르겠지만, 이 배우들을 믿어야지 밖으로 나가든 다른 사람을 만나든 할 수 있을 것 같았다. 손을 잡으니 물 덩어리의 촉각이 느껴졌다. 방금까지 만졌던 벽처럼 마치 물풍선 같았다. 내가 촉각을 느끼는 사이, 덩어리 탈을 쓴 배우들이 나를 이끌고 벽을 향해 거침없이 걸어갔다. 이대로라면 벽에 부딪힐 텐데!

벽 앞에서 멈출 것 같았던 두 명의 배우는 멈추지 않았고 그대로 벽을 통과했다. 나도 같이.

"어?"

느낌이 이상했다. 벽을 통과하는 건, 마치 물컹거리고 끈적이는 젤리 속에 들어갔다가 나오는 기분이었다. 벽을 통과한 나를 반기는 것은, 물이었다.

순간적으로 코에 물이 들어와 코는 따끔했고, 눈도 따가웠다. 코는 손으로 막고 눈은 감아버렸다. 숨을 계속 참고 있으니 점점 정신이 혼미해진다.

그러고 보니 엘리베이터에서 번쩍이는 빛과 함께 넘어지고서 처음 느꼈던 감촉이 바로 이 감촉이었다. 차가운 물 속에 잠긴 듯한 느낌. 이후에 정신을 잃었던 것을 기억해냈다.

나는 숨을 쉴 수 있는 방금 전까지 있던 그 공간을 돌아가기 위해 몸부림쳤지만, 나를 양쪽에서 잡고 있는 두 개의 물덩어리 때문에 돌아갈 수 없었다. 벽을 넘지 못한 채로 힘이 빠지는 게 느껴지는 순간. 얼굴에 느껴지던 물의 감촉이 사라지고 공기가 코로 들어온다.

"흐헉. 후하후하."

참고 있던 숨을 몰아쉬었다. 공기가 폐로 들어오니 흐려졌던 시야가 점점 깨끗해져 왔고 정신도 또렷해져 주변을 확인 할 수 있었다. 내 얼굴을 감싼 건, 마치 우주비행사가 된 것처럼 동그란 공기 방울이었다. 내 주위로는 물 덩어리 여러 명이 나를 보고 있었고, 이곳은 TV에서나 보던 바다의 밑바닥 같았다. 해초도 많고, 바위도 있고, 물고기도 있었다.

"여긴 도대체 어디인 거지?"

이곳이 영화 촬영장일 거란 생각은 사라진 지 오래였다. 이렇게 큰 세트장이 존재할 리가 없다, 끝없이 펼쳐진 물. 여러 물고기와 수중생물들이 살고 있는 이곳.

"바닷속인 건가?"

"바다라는 표현이 지구의 거대한 물들을 지칭하는 말이라면 아니라네. 일단 거대한 물이라는 점에서 유사할지 몰라도."

바로 옆에서 익숙한 말소리가 들리자 기쁜 마음에 고개를 돌려 바라보았지만. 눈앞에 있는 건 또 다른 물 덩어리였다.

"아… 또 물 덩어리잖아."

"하하, 내가 지구의 생명체가 아니라서 아쉽느냐. 그래도 그 물 덩어리라는 표현은 정정하는 것이 좋을 것 같구나. 우리도 번듯한 이름은 있으니 말이다. 우리들은 oOOooOo이란다."

"네?"

'웅웅-'거리면서 거품이 보글보글하는 소리만 들리고 그가 말하는 단어를 들을 수 없었다.

"음, 인간의 언어로 표현하면 '물인간' 정도이겠구나."

그냥 인간도 아니고 물 인간이라니. 그들이 하나의 큰 덩어리처럼 보이긴 했지만. 인간처럼 얼굴도 있고 몸과 팔이 있었다. 인간의 형태와 유사해서 물인간일까. 아니 그나저나 방금 이 사람이 말하는 것이 꼭… 이곳이 지구가 아니라는 듯이 말했다.

"여기가 지구가 아닌 건가요?"

입 밖으로 꺼낸 나도 참 어이없다. 지구가 아닐 리가. 내가 지금 영화 속에 들어와 있는 것도 아니고 아까까지만 해도 엘리베이터에 있던 내가 외계 행성에 있을 리가 없다. 그럼 없지. 없어야만 한다.

"보여줄 것이 있으니 따라오거라. 가면서 이야기 해주마."

항상 부모님이 모르는 사람은 따라가지 말라 했던 이야기가 떠올라 물인간 따라가기가 꺼렸다. 하지만, 주위를 둘러보면 모두 물인간뿐이고, 이 사람을 제외하면 보글보글하며 대화가 통하지 않았다. 나는 심호흡을 하고서 그를 따라가자고 결심했다. 물 인간이 먼저 꾸물꾸물 앞으로 헤엄쳐 나갔다. 다큐멘터리에서나 보던 해파리의 움직임과 비슷했다. 물속을 걸을 순 없기에 학교에서 생존 수영을 배웠던 걸 기억해 내 팔과 다리를 움직여 헤엄쳐 이동했다. 학교 수업이 이렇게 도움이 될 줄이야.

"아참 아직 내 소개를 안 했구나. 내 이름은 질렌이란다. 이 마을에 연구원이자 발명가이지. 내 손자 모리의 방에 있던 너를 내가 처음 발견했지."

"할아버지 손자 방에 제가 있었다고요?"

"그래. 이곳은 네가 온 지구에서 약 100광년 떨어져 있는 별, '라메흐'란다."

100광년? 별?

"네? 무슨 그런 거짓말을 하세요. 무섭잖아요."

지구가 아니라고 말하면서도 스스로 어이없어했는데. 진짜로 이곳이 지구가 아니라는 말을 듣게 될 줄은 생각도 못했다.

"그래. 많이 놀랐지? 우리도 많이 놀랐단다. 갑자기 지구의 생명체가 이곳으로 올 줄이야."

"진짜예요? 여기가 지구가 아니라고요?"

질렌 할아버지는 고개를 끄덕였다. 지구가 아니라니. 나는 왜 여기 있는 거지? 당황스러움의 연속이었다.

“아니, 그러면 제가 어떻게 여기까지 온 거죠? 지구에서 100광년이나 멀리 떨어진 곳을 제가 어떻게 와요?”

“그건 내 연구실에 들어가서 알려주마. 들어오거라.”

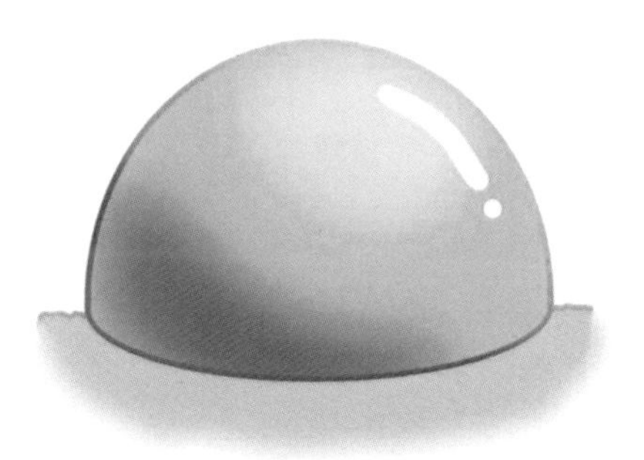

질렌 할아버지는 아까 내가 있었던 반구 형태의 막과 비슷한 방울 앞에 섰다. 그러고는 할아버지가 먼저 벽을 ‘쑤욱’ 하고 통과해 들어가 버리셨다. 나도 뒤따라 손부터 넣어 천천히 벽을 통과했다. 벌써 두 번째 느끼는 감각이지만 익숙해지지 않는 어색한 감촉이다.

들어온 방은 내가 있던 방이랑 달리 이곳은 물로 채워져 있었다. 내 얼굴을 감싸고 있는 공기 방울이 유지되고 있어서 다행히 나는 이 방에서도 자유롭게 숨을 쉴 수 있었다.

방에 들어와서 가장 먼저 눈에 띄는 건 한쪽 구석에 놓인 내 신발과 가방이었다. 조금 더 둘러보니 긴 작업 테이블 위에 내 보온병이 놓인 걸 볼 수 있었다.

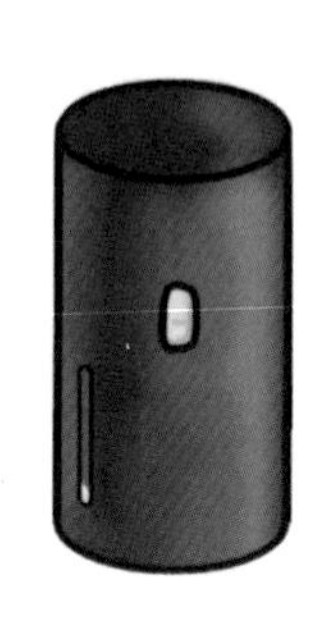

"네가 이곳으로 올 수 있었던 건 이 물건 때문이란다."

내 보온병을 보여주었다.

"제 보온병이요?"

"보온병? 그게 뭔진 모르겠다만 이건 보온병이 아니란다."

보온병이 아니라는 말에 다시 자세히 살펴보니. 외형이 약간 달랐다. 뚜껑을 여는 버튼보다 장치의 버튼이 조금 더 아래에 있었고, 보온병 표면에 박힌 브랜드 로고도 없었다. 그러니까 보온병이 아니었다. 도대체 언제 바뀐 거지?

"공간을 넘을 수 있는 기계야. 아마 나의 손자 녀석이 만든 물건일 테지."

내가 이렇게 작은 기계로 공간을 넘어왔다고? 지구에서부터 여기까지? 100광년이나 먼 이곳을?

"이렇게 조그마한 걸로요?"

할아버지는 기계의 내부를 나에게 보여주었다. 작은 통 안에 용도를 알지 못하는 수많은 조각이 연결되어 꽉 채워있었다. 저것들이 이 기계를 작동시키는 건가?

할아버지는 안에 있는 작고 투명한 통을 꺼내 내게 보여주며 말했다.

"이 통에 조금 고여있는 이 액체 보이느냐?"

나는 작게 고개를 끄덕였다.

"이건 이 공간이동장치를 가동하는 연료란다. 연료가 만약 충분했다면 너를 바로 너의 집, 지구로 보내줄 테지만. 아쉽게도 연료가 다 떨어진 상태지."

"그러면. 연료만 있으면 제가 지구로 갈 수 있는 거네요!"

질렌 할아버지는 공간이동장치를 만지작거리면서 한숨을 내쉬었다, 무슨 문제라도 있는 걸까

"흐음. 그게 말이다. 약간의 문제가 있단다."

질렌 할아버지는 자리를 약간 옆으로 옮겨서 무언가 많이 적혀있는 유리판을 나에게 건넸다.

"이건 내가 이 연료를 분석한 리스트란다. 리스트 가장 맨 아래에 적힌 엘라니아꽃이 보이느냐?"

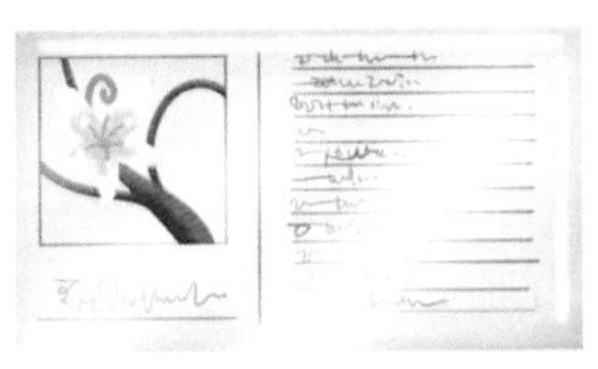

문자는 이해할 수 없었지만, 리스트 맨 하단에 꽃 그림이 있는 걸 찾았다. 질렌 할아버지가 내 근처로 와 유리판에서 엘라니아꽃을 눌렀다. 이내 유리판의 적힌 리스트는 엘라니아꽃에 관한 정보로 바뀌었다. 이 유리판은 지구의 태블릿 PC와 유사한 것 같았다.

"엘라니아꽃은 우리 행성에서 찾기가 귀한 꽃이란다. 물과 공기가 만나는 빛이 들어오는 동굴에서만 자라기 때문에 개체수도 적지. 그런데 이 연료에는 이 엘라니아꽃이 들어간단다. 현재 엘라니아꽃은 서식지에 한 개가 남았다고 알려져있지. 아마도 내 손자가 그곳에 한 개 남은 엘라니아꽃을 사용한 것 같단다. 그래서 지금 다른 재료는 다 있지만 엘라니아꽃을 구할 수 없는 상황이란다."

"그렇다는 건, 지구로 못 돌아갈 수도 있는 건가요?"

할아버지는 대답 대신 작게 고개를 끄덕이었다. 처음으로 눈앞이 깜깜해지는 기분을 느꼈다. 지구에, 집에 갈 수 없다는 사실이 나를 불안하게 만들었다.

"방..방법이 진짜 없는 건가요?"

그는 한참을 고민했다. 고민이 이어질수록 나는 간절해졌다. 부디 그의 입에서 "방법이 있단다."라는 답이 나오기를 기다렸다. 물이 흘러가는 고요한 소리만 내 귀에 들어올 뿐 다른 소리는 들리지 않았다.

작은 탄성과 함께 드디어 목소리가 내 귀로 들어왔다.

"아. 그러고 보니 최근에 우리 마을 촌장이 엘라니아꽃으로 음료수를 만들었다는 이야기를 들었단다. 그에게 물어보면 엘라니아꽃에 대한 행방을 찾을 수 있을지도 모르겠구나.”

할아버지의 말에 나는 올라가는 내 입꼬리를 주체할 수 없었다.

“그래도, 확실히 구할 수 있다는 장담은 할 수 없으니. 미안하구나.”

할아버지는 나에게 사과했지만, 나는 사과를 받지 않았다.

“괜찮아요. 돌아갈 가능성이 생겼으니까요. 그리고 엘라니아꽃은 할아버지가 잘못한 것도 아닌걸요. 그러면, 아까 음료수 만들었다는 그 촌장님 어디에 계시나요?”

엘라니아꽃의 행방을 알지도 모를 유일한 사람의 행방을 물어보았다. 그 사람만 만나면 집에 갈 수 있을 것이다. 할아버지는 고개를 들어 방 밖을 확인하고는 나에게 말해주었다.

“오늘은 시간이 늦었으니, 내일 만나러 가는 것이 좋을 것 같구나. 우리 행성에서는 저녁 식사 이후로 다른 사람의 집에 찾아가지 않거든.”

나도 고개를 돌려 반투명한 방울 사이로 들어오는 빛을 바라봤다.

“아까 까진 분명 밤이었으니까… 이제 아침 아닌가요?”

“그렇지. 이제 해가 떴으니 점점 물이 뜨거워질 거란다. 뜨거워지면 움직이기 힘드니까, 우리는 해가 뜨기 시작하면 집 밖으로 나가지 않고 저녁을 먹은 후에 잠을 잔단다.”

"해가 뜨면 잠을 잔다니. 지구랑 정반대에요. 지구는 해가 뜨면 사람들이 움직이기 시작하거든요."

"오호, 신기하구나. 뜨거운 열 아래서 움직이는 것이 힘들지 않니?"

점심시간쯤 해가 머리 위에 뜨면 햇빛이 따갑긴 하지만, 움직이지 못할 정도는 아니다.

"전혀요. 오히려 해가 없으면 인간은 우울해진다고 들었어요."

흥미로운 듯 할아버지의 눈이 동그래졌다.

"해가 없다면 우울해진다니. 신기하네."

그렇게 할아버지와 지구와 이곳 '라메흐'에서의 낮과 밤에 대해 이야기 하고 있을 때였다. 물의 막을 뚫고 또 다른 물인간이 들어왔다. 물인간은 낯선 나를 보고 잠깐 놀라는 듯 하더니. 할아버지와 대화를 나누기 시작했다.

"ooOooOOOOOOoOooo"

"OoOoOOOOoOOooOOO"

둘은 잠깐 이야기를 나누더니 들어왔던 물인간은 다시 나갔다. 할아버지는 포근한 미소와 함께 나를 바라보더니.

"배고프지 않니? 저녁 식사가 준비되었다는구나. 밥 먹으러 가자구나."

마침, 배에서 꼬르륵거렸다.

"너무 좋아요. 사실 배고팠거든요."

이 당황스러운 상황 때문인지 내가 배고프다는 것도 알아차리지 못했다. 조금은 편해져서인지 배에서는 밥을 달라고 꼬르륵 꼬르륵거린다.

할아버지의 인도에 따라 투명한 막을 넘어, 또 다른 방울 속으로 들어왔다.

"오."

또 다른 풍경이 펼쳐졌다. 가장 눈에 띄는 건. 수많은 물인간이었다. 다들 할아버지를 따라 등장한 나를 보고 놀란 건지 눈을 동그랗게 뜨며 나를 바라보고 서로 이야기를 한다. 무슨 이야긴지는 알 수 없다.

"oOOoOo"

"OOOooO"

"OOOooOoOoOOO"

물인간이 하나, 둘, …. 물인간이 이 방에만 5명이었다.

"이쪽은 우리 가족이란다."

할아버지가 나에게 가족들을 소개해주셨다. 물인간의 가족 구성원은 '엄마', '아빠', 첫째 '태리', 둘째 '해리' 그리고 '할아버지'까지 5명, 아, 그리고 나와 자리가 바뀐 지구로 간 마지막 셋째 '모리'까지 하면, 총 6명의 대가족이었다. 물인간 가족들을 보고 있으니, 엄마와 아빠가 보고 싶어졌다. 집에 돌아가면 부모님을 꼭 안아줘야겠다고 다짐했다.

할아버지가 나에게 소개해 준 이후엔 반대로 나를 가족들에게 소개해 주는 것으로 보였다.

"OoooOOOOOO OOoooOOOoO"

할아버지의 말이 끝나자, 가족들의 고개가 나를 향해졌다. 다들 흥미 가득한 얼굴로 나를 바라보며 애매한 정적이 흘렀다. 뭔가 인사라도 해야겠다고 생각해서 손을 들어 가볍게 흔들었다. 손을 흔들자 그러자 뭐가 좋은지, 둘째 물인간은 꺄르륵 웃으며 같이 손을 흔들어 주었다. 첫째 물인간은 묵묵히 나를 자리로 안내해 주었다.

의자에 앉으니, 마치 할머니 집에 있는 안락의자보다 더 폭신폭신했다. 아까 침대도 그렇고 여기에 있는 거의 모든 가구는 젤리처럼 말랑하고 폭신하다. 손을 탁자 위로 올리니 탁자도 비슷했다.

'여기 있는 가구를 하나만이라도 지구로 가져가서 엄청 더운 여름에 누워있으면 좋을 텐데.'라고 생각하고 있자, 엄마 물 인간이 7개의 정체 모를 액체가 담긴 방울을 탁자로 가지고 왔다. 약간은 녹색 빛이 도는 찰랑거리는 액체였다. 시금치를 갈아낸 것 같은 비주얼에 나도 모르게 눈이 찌푸려졌는데. 물 인간들은 모두 환호했다. 각자의 앞으로 하나의 방울이 배정되었다. 물 인간들은 방울을 한 번에 입 안으로 넣었다. 투명한 몸 때문인지 소화하고 있는 모습이 잘 보였다. 보글보글하더니 녹색 빛이 흔적도 없이 사라졌다. 물 인간들의 먹는 모습을 확인하고 나도 먹기 위해 방울을 입 근처로 가져왔다. 내 얼굴을 감싸고 있는 공기막을 방울이 통과하고 입을 방울에 대어보았다. 손보다 더 커서 물 인간들처럼 한 번에 입에 넣을 수는 없었기에 방울 안에 있는 액체를 후루룩하고 마셔보았다. 약간은 짠맛도 나고 미끄러우면서도 또 단맛도 났다. 한마디로

"맛있다!"

녹색이라는 색 때문에 맛이 없을 것이라 지레짐작했지만, 생각 외로 엄청 맛있었다. 내가 신나게 먹는 걸 본 물 인간들은 뿌듯해하는 것 같았다.

녹색 액체 말고도 이어서 여러 액체가 방울에 담겨 식탁으로 옮겨졌고, 물 인간 가족들과 나는 저녁 식사를 이어 했다.

나는 밥을 먹으면서 음식들이 어떻게 만들어졌는지 옆에 앉은 할아버지에게 물어보았고, 할아버지는 친절하게 대답해 주었다. 처음 먹었던 음식은 해초로 만들어진 것이라 했다. 보통 식사 시작과 끝에 먹는 음식이라는 설명도 덧붙여 주었다.

밥을 먹는 동안 가족들은 수많은 대화를 했다.

“ooOoOoO”

“OoooOOOOoo”

“OOoOooOo”

“OOoOOoOoOOO”

“ooOOOOOOOO”

“oOoOOOOoOooOO”

“ooooo”

“oOooOOOO”

보글보글하는 소리가 계속해서 들려온다. 오른쪽에서 왼쪽으로, 앞에서 왼쪽으로. 가끔은 할아버지도 보글보글 말했다. 나만 동떨어진 기분이었다. 가족들은 웃으며 즐거운 이야기를 하고 있었지만 나만 묵묵히 밥을 먹을 뿐이었다.

외로웠던 식사 시간이 끝나고, 나는 내 방으로 돌아왔다. 액체라서 배가 부르지 않을 줄 알았는데 배가 매우 불렀다. 폭신하고 축축한 침대 위에 누우니 금방 잠에 빠졌다. 오늘 하루가 나에게 꽤 지쳤던 하루였나보다.

과거

"할머니, 할아버지 이것 보세요!"

나는 무언가를 품에 가득 안아 들고 할머니와 할아버지에게 달려갔다. 할머니와 할아버지는 앉아 있다가 내 소리를 듣고 나를 맞이해 주셨다. 나는 품에 가득 안고 있던 이상한 물체들을 내려놓았다.

"할머니, 할아버지 이것 보세요. 놀다가 찾은 것들인데 처음 보는 물건들뿐이에요"

할머니와 할아버지는 내가 가져온 물건들을 보고는 말하셨다.

"아가, 이 물건들은 어디에서 가져온 거니?"

나는 조금 전 상황을 떠올렸다.

"그게 친구들이랑 놀고 있었는데 갑자기 하늘이 어두워져 위를 봤더니 이 물건들이 있었어요."

옆에 가만히 듣고만 계시던 할아버지가 물건의 이곳저곳을 살펴보았다.

"이것들은 지구의 데이터 같구나."

"와, 그럼 이 물건들이 아주 중요한 자료인 거네요! 그러면… 할아버지랑 할머니는 이것이 어떤 데이터를 가졌는 지 알 수 있어요?"

지구에서 보내진 데이터들. 우리의 라메흐랑은 다른 또 다른 곳. 과연 어떤 곳일까?

"우리 손주. 지구에 대해 궁금하니?"

나는 일말의 망설임 없이 크게 답했다.

"네!"

할머니와 할아버지는 잠시 고민하시더니 서로 말을 하지 않아도 생각이 같으셨는지 할아버지가 말씀하셨다.

"허허허, 모리는 호기심이 많구나. 우리 같이 조사해 볼까?"

"와아- 신난다."

나는 지구 물건을 조사할 수 있게 되어 기쁜 마음을 주체

할 수 없었다. 기뻐서 방방 뛰고 있는 날 보신 할머니가 말씀하셨다.

"대신 연구소에서는 그렇게 방방 뛰면 안 된다."

"네! 당연하죠."

허락을 받은 나는 할머니, 할아버지를 따라 연구소로 향했다.

연구소로 향하는 길에 난 문득 할머니, 할아버지는 어쩌다 지구에 대해 알게 되었는지 궁금해졌다.

"할머니, 할아버지 저 궁금한 게 있어요."

"음? 무엇이니 아가?"

"할머니랑 할아버지는 어쩌다가 지구에 대해 알게 되신 거예요?"

할머니는 미소를 지으시며 옛날이야기를 시작하셨다.

"이 할머니가 젊었을 적에 할아버지랑 우주선을 타고 옆 행성으로 신혼여행을 가고 있었단다. 그런데 어디선가 날아온 운석과 충돌해서 경로 이탈을 했던 때였단다"

"운석과 충돌이라니. 무서우셨겠어요."

"그래. 모리 네가 말한 것처럼 무서웠단다. 다시 돌아가려고 시도했지만, 너무 강한 충격을 받아서 그런지 조종 장치가 말을 듣지 않더구나."

"헉 그래서 어떻게 됐어요."

"그래도 다행인 건 구조 신호를 보내는 장치는 망가지지 않아서 바로 구조 신호를 보냈단다."

"휴, 정말 다행이네요."

"하지만 우리가 구조 신호를 보내는 와중에도 라메흐 행성에서 점점 멀어져갔단다. 그렇게 1시간 정도를 떠다니고 있었는데 무언가와 부딪쳤단다."

"무엇이랑 부딪친 거에요?"

"우리가 탄 우주선과 부딪친 건 처음 보는 형태의 우주선이었단다. 그래서 우리는 구조 대원을 기다리며 그 우주선 안을 들어가 보려 했단다. 그런데 문을 여니까. 처음 보는 네모난 물건이 여러 개 들어있었지.

"어. 그럼, 그 물건들이 지구의 물건이었던 거에요?"

"맞단다. 하지만 그 당시에는 어떤 물건인지 몰라 그 물건이 들어있던 우주선을 조사해 보았단다."

"무엇인가 다른 게 있었나요?"

"아니. 그 네모난 물건만 여러 개 있을 뿐 다른 이상한 점은 없었지. 나는 네모난 물건을 챙기고 다시 우주선으로 돌아왔단다. 얼마 지나지 않아 구조대가 왔고 그렇게 할아버지와 난 무사히 돌아올 수 있었지."

“와, 정말 엄청난 일이 있었네요.”

“우리는 구조대의 도움을 받아 무사히 신혼여행을 즐기고 돌아왔단다. 집에 돌아와서 여행 가방을 정리하고 있었는데 이상한 우주선에서 찾았던 네모난 물건이 들어있었단다.”

“오오, 그래서 어떻게 했어요?”

“처음에는 할아버지가 그냥 버리라고 그랬단다. 그래서 버리려 했는데 뭔가 그냥 버리기에는 마음에 걸리더구나.”

“마음에 걸려요?”

“그래, 네모난 물건을 찾은 곳이 처음 보는 형태의 우주선에 있었기에 나는 혹시 다른 행성에 대한 정보를 얻을 수 있을지도 모른다고 생각했단다. 그래서 난 그 네모난 물건을 조사해 보기로 했단다.”

“오오, 그 네모난 물건에는 어떤 정보들이 있었나요?”

“그 물건은 처음에는 조사하기 정말 힘들었단다. 다양한 사전을 찾아보아도 네모난 물건에 대한 내용은 찾을 수 없었단다.”

“그러면 어떻게 데이터를 보신 거예요?”

“그건 말이지. 아무 소득도 얻지 못하고 2일이 지났을 때였단다. 아침에 뉴스를 보고 있었는데 깜짝 놀랄만한 이야기를 듣게 되었단다.”

“놀랄만한 이야기요?

"뉴스에서 지구 데이터를 발견했다고 하더구나. 그러고는 확인 방법을 알아냈다며 보여주는데 선을 꼽고는 인터넷 기기에 연결하였더니 안에 들어있던 데이터들이 인터넷 창에 뜨더구나."

"오, 그럼. 그 방법을 이용해서 그 데이터들을 확인할 수 있었던 건가요?"

"맞아. 인터넷 기기를 가져와서 줄을 연결하니 뉴스에서 보았던 것처럼 그 안에 들어있던 데이터를 확인할 수 있었단다."

"그 데이터들로 지구에 대해 알게 되신 거군요."

그렇게 할머니와 재미있게 대화하다 보니 금세 도착하였다. 우리는 연구소 안쪽으로 들어갔다.

연구소에 들어가니 신기한 것들이 많이 있었다. 커다란 모니터에 뭔지 모를 그래프도 떠 있고 다양한 모양의 유리 플라스크들이 매우 많았다. 그 플라스크 안에는 다양한 색상의 뭔지 모를 액체들이 담겨있었다.

"할아버지 물건 조사를 끝내고 나서 연구소 구경시켜 주세요!"

"허허허 알겠단다."

그렇게 짧은 대화를 하고 우리는 연구소 복도 끝 쪽에 있는 방 안으로 들어갔다. 그 방 안으로 들어가자마자 눈에 보이는 건 트로피 전시장이었다. 할아버지와 할머니가 지금까지 받아왔던 여러 상과 상장이 전시돼 있었다. 그리고 그 앞쪽에는 큰 테이블이 있었는데 그 테이블 위에는 방으로 들어오기 전 보았던 다양한 모양의 플라스크들이 가득 올려져 있었다. 나는 궁금증을 참지 못하고 할아버지한테 물었다.

"할아버지 여기에 있는 플라스크 안 액체는 뭔가요?"

할아버지는 웃으시며 친절하게 설명해 주셨다.

"그 안에 들어있는 액체는 물 나비의 날개 안에 들어있는 액체란다."

"물 나비의 날개 안에 들어있는 액체요?"

"그렇단다. 물 나비의 날개 안에 들어있던 액체는 다양한 곳에 사용된단다."

그 이후에도 나는 연구실 곳곳을 구경하느라 원래 목적을 잊은 채 처음 보는 물건들을 구경하였다. 구경하면서 궁금한 게 생기면 할머니와 할아버지에게 물어보니까. 20분이 흘렀다. 그러고는 다 둘러봤을 때쯤 원래 목적을 떠올리게 되었다. 난 어떤 기계 앞에 계시는 할머니, 할아버지에게 다가갔다. 내가 신기하게 쳐다보자, 할아버지는 나에게 그 기계에 대한 설명을 해주셨다.

"이 기계는 외계 행성의 물건의 용도를 분석해 주는 기계란다.";

그렇게 말씀하시고는 내가 가져온 물건들을 그 기계 위에 올리셨다. 물건을 올리자마자 기계가 기계음을 내며 작동하기 시작했다. 조금 걸리겠지 라는 생각으로 연구실 안 책장에 있던 책을 하나 꺼내어 읽고 있었다. 재미있게 책을 읽고 있었는데 갑자기 어디선가 삑- 소리가 들렸다. 난 깜짝 놀라 들고 있던 책을 떨어트렸다.

"우왓... 깜짝아..."

나는 다시 책을 주워 들고는 기계 앞으로 갔다. 내가 가져온 물건들은 발견되지 않았던 지구의 물건이었다. 할아버지는 그 물건들 조사하기 위해 다른 연구원들을 불러 물건들을 옮기기 시작했다.

할아버지는 가시기 전에 말씀하셨다.

"미안하구나. 모리야, 아까 너와 약속했던 연구소 구경은 시켜주지 못할 거 같구나."

"할아버지, 전 괜찮아요."

"대신 모리야 이걸 가져가렴."

"이건 뭐예요. 할아버지?"

"이건 물 나비의 날개란다. 물 나비의 날개는 행운을 가져온다고 하니, 네게 도움이 될 거란다."

"와. 너무 이뻐요 잘 간직할게요!"

할아버지는 웃으며 연구실을 나가셨다. 나와 할머니는 그

이후 집으로 돌아갔다.

돌아가는 내내 할아버지가 준 물 나비의 날개를 만지작거렸다. 나는 그때 받은 물 나비의 날개를 가방에 항상 지니고 다녔다.

엘라니아 꽃

"으악!"

나는 거친 숨을 몰아쉬며 잠에서 깨어났다. 입고 있던 옷이 평소보다 축축하고 얼굴에는 땀이 송글송글 맺혀있다.

"최악의 악몽이었어… 마지막 재료까지 구했는데 지구가 아닌 다른 행성에 떨어지는 꿈이라니 최악이야."

나는 연신 마른세수하며 악몽을 떨쳐냈다. 침대에 가만히 누워 막연히 천장을 바라보았다. 오늘 해야 할 일은 엘라니아 꽃의 행방을 알고 있을지도 모를 마을의 촌장을 찾아가야 한다. 엘라니아꽃이 없다면 지구로, 집으로 돌아갈 수 없으니까.

생각을 정리하고선 침대에서 일어나 부드러운 모래를 느끼며 방울에서 나가기 위해 방울의 막 앞에 섰다.

“아, 방에 들어오면서 내 공기 방울이 사라졌는데… 이러면 밖에 나가도 숨 못 쉬는 거 아닌가?”

‘어쩌지?’하며 발만 동동거리고 있으니 불투명한 방울 너머에서 무언가 다가오는 실루엣이 보였다. 금방 막을 통과해 할아버지가 방 안으로 들어왔다.

“잘 잤느냐.”

할아버지의 푸근한 미소가 너무 반가웠다.

“할아버지! 잘 주무셨어요?”

“그래, 이걸 전해 주려고 왔단다.”

할아버지가 들고 온 동그란 것을 나에게 건네주었다.

“이게 무엇이에요?”

“매번 네가 왔다 갔다 할 때 공기 방울을 만들어 주기 힘들 것 같아서 내가 하나 만들었단다. 이걸 목에 착용하고 이 버튼을 누르면…”

할아버지가 손수 착용을 도와줬다. 그리고 버튼을 누르니. 동그란 방울이 내 얼굴을 둘러싼다.

“오!”

“자, 밖으로 나가서 잘 숨 쉬어지는지 확인해 보자 구나.”

할아버지의 손을 잡고 방울에서 조심히 나왔다. 어제처럼 시원한 물이 내 몸을 감싸 안았지만, 숨 쉬는 것은 힘들지 않았다. 어제보다도 더 편했다.

"와, 할아버지 아주 편해요!"

내가 할아버지의 주변을 빙글빙글 돌며 수영하니 주변에 있던 물인간들이 다가왔다.

"오, 이 아이가 어제 왔다던 그 인간 아이군요!"

"인간의 모습은 참 신기하네요."

"우와. 외계인이야!"

물인간들의 목소리가 들려왔다. 어제는 분명 보글보글하는 거품 소리밖에 안 들렸는데…

"할아버지? 저 물인간들의 목소리가 들려요. 어제는 안 들렸는데."

할아버지가 크게 웃었다

"하하하, 잘 작동되는 것 같구나. 내가 주는 선물이란다. 아무래도 이곳에서 지내는 동안 대화가 안 통하면 불편할 것 같아 어제 저녁 먹고 나서부터 쭉 이걸 만들었지. 마음에 드느냐?"

나는 단숨에 할아버지 근처로 가 꼭 껴안았다.

"감사해요. 할아버지!"

"그래그래, 음. 나는 이걸 만드느라 잠을 제대로 못 잤더니 피곤하구나. 나는 이만 자러 가마."

나는 손을 크게 흔들어 할아버지를 배웅했다.

할아버지가 멀어지니 물인간들이 점점 다가와 나에게 질문을 끊임없이 쏟아냈다.

"네가 온 행성은 어떤 곳이니?"

"인간은 물에서 숨 못 쉬어?"

"몇 살이야?"

"이름은?"

"인간은 뭘 먹어?"

"인간은 어디서 살아?"

끊임없는 질문에 정신 차리지 못하고 있었다.

"으.... 그러니까…"

그때 물살을 가르며 엄청 빠르게 이동해 오는 작은 물 인간이 보였다.

"다들 비켜요! 비켜요!"

작은 물인간은 내 앞에서 멈춰 서더니 나에게 손을 내밀었다.

"인간. 손잡아."

얼떨결에 나는 차가운 손을 잡았다. 그리고 빠르게 내 주변 풍경이 바뀌었다. 근처에 있던 집들이 순식간에 저 멀리 너머로 사라져갔다.

드디어 멈춰선 물인간이 잡고 있던 내 손을 놓아주었다. 멀미 나는 것처럼, 머리가 지끈지끈 아파졌다.

"으아, 여긴 어디야?"

"미안해. 인간! 아, 나는 해리라고 해. 우리 어제 봤었지? 근데 난 너 이름을 모르네. 인간 너는 이름이 뭐야?"

머리를 부여잡으며 대답했다.

"유진. 유진이야."

"와, 이름 진짜 예쁘다. 신기해 유진! 이렇게 발음하는 건가?"

해리는 유진이라고 여러 번 말하면서 발음했다. 뭔가 갑자기 순식간에 지나가 버린 상황이 당황스럽기만 하다.

"그래서, 해리야? 나는 왜 여기로 데리고 온 거야?"

"할아버지가 부탁했어, 네가 혼자 여기 돌아다니기 힘들 테니까 내가 도와줄게. 그러니까. 라메흐의 가이드인 거지!"

다시 해리의 얼굴을 보니 그제야 해리가 누구인지 알 수 있었다. 어제 저녁 식사 자리에서 가장 초롱초롱한 얼굴로 나를 보고 있던 그 둘째 물인간이다.

"아, 여긴 엘라니아꽃이 서식하는 유일한 동굴이야. 우리는 엘라니아의 동굴이라고들 부르지. 네가 엘라니아꽃이 필요하다고 들었어. 그래서 이곳으로 온 거야."

해리가 동굴의 입구를 가리켰다. 동굴은 마을에서 한참 벗어난 곳에 있었고, 입구도 해초로 가려져 있어서 동굴이라는 걸 한눈에 알아보기란 쉽지 않았다. 하지만, 어제 할아버지가 동굴에는 꽃이 없을 거라 했는데.

"꽃이 없다는 건 알지만 혹시 그 잠깐 사이에 꽃이 다시 피었을지도 모르니까. 이곳에 온 거야. 자 들어가서 엘라니아 꽃이 있는지 확인해 보자."

해리가 손을 내밀었고, 나는 그 손을 잡았다. 이곳까지 올 때와 똑같은 손동작이었지만, 지금 해리의 인도는 다정했다.

해초로 가려진 입구를 해쳐 지나오니 거대한 동굴이 우릴 반겼다. 동굴 위로는 큰 구멍이 뚫려있었다. 지금은 해가 안 떠 있는 물인간의 활동 시간이기에 은은한 별빛들이 이 동굴 안을 밝혔다.

"어제 할아버지가 엘라니아꽃의 서식 환경에 대해 이야기 해줬어?"

나는 어제 들었던 할아버지의 말을 되짚어 보았다.

"물과 공기가 맞닿는 빛이 들어오는 동굴이었던 거 같아."

"맞아. 그 조건이 충족되는 게 이곳이야."

해리를 따라 동굴을 조금 더 깊이 들어가 보니 동굴 끝에 여러 덩굴이 동굴 벽면을 타고 얽혀있는 모습을 확인할 수 있었다. 덩굴은 물에 잠긴 동굴 벽면에서 시작해서 공기가 가득한 위에까지 퍼져있었다.

"이 덩굴에서 엘라니아꽃이 자라는 거야?"

"맞아. 엘라니아꽃이 한 번에 많이 피면 다섯 송이 정도가 피어나는데. 다섯 송이가 함께 있을 때는 정말 장관이야. 우리 행성에서 가장 아름다운 장면을 꼽으라고 한다면 당연히 엘라니아꽃 다섯 송이지. 참고로 내가 가장 많이 본 개수는 세 송이가 최대였어. 다섯 송이 이야기는 할아버지께 들은 거야."

해리의 말을 들으며, 어제 보았던 엘라니아꽃의 모습을 생각하고 있으니, 엘라니아꽃이 피어있는 모습을 꼭 보고 싶었다.

"결국 엘라니아꽃은 이곳에 없는 거지? 덩굴에 어떤 꽃도 없으니까."

"그런 셈이지. 뭐, 여기에 없을 건 어느 정도 예상했었으니까. 촌장님 집으로 가자. 거기에선 어떤 단서라도 구할 수 있을 거야. 이리 와."

해리가 나에게 손을 내밀었다. 해리의 손을 잡고 마을 밖에서 점점 마을 안으로 들어왔다. 수많은 물 인간이 우리의 주변을 지나갔고, 수많은 동그란 물방울 집들이 점점 많아졌다. 나 혼자 수영 해서 움직였다면 이곳까지 이렇게 빠르게 올 순 없었을 거다. 해리는 마을을 가로질러 어떤 집 앞에서 멈춰 내 손을 놓아주었다.

아까 있던 곳과는 다르게 근처에 집들이 적었고, 큰 바위들과 해초들로 다른 집들과는 단절된 것만 같았다.

"여기가 바로 우리 마을 촌장님의 집이야. 그나저나 지금 촌장님이 계실지 모르겠네."

해리가 촌장의 집 앞으로 다가가 멈췄다. 입으로 크게 바람을 불어 만든 물방울을 집 안으로 흘려보냈다.

"방금. 뭐 한 거야?"

"어? 이거? 남의 집에 함부로 들어갈 순 없잖아. 그래서 물방울을 먼저 보내서 사람이 있는지 없는지 확인하는 거야. 사람이 있으면 나와서 우리를 데리고 들어갈 거고, 없으면 나중에 와서 우리가 왔다는 사실을 알게 되지."

일종의 노크와 비슷한 행위 같다. 흥미로운 사실에 그냥 쳐다보고 있었는데, 곧이어 사람 실루엣이 보이더니 물인간이 밖으로 나왔다.

"음, 해리? 그리고 너는… 아, 어제 불시착했다던 인간이구나. 여긴 어쩐 일로?"

밖으로 나온 물인간은 해리보다도 큰 키를 가졌다. 나보다도 더 컸다.

"아, 아주머니. 촌장 아저씨는 지금 안 계세요? 아저씨께 물어볼 게 있어서 왔거든요."

"남편은 지금 잠깐 외출 중이야. 언제 들어올지는 모르겠구나."

촌장님에게 물어보려면 기다릴 수밖에 없는 건가.

"남편이 돌아올 때까지 우리 집에서 기다리지 않겠니? 또, 내가 대신 대답할 수 있는 게 있을지도 모르고 말이야."

"그래도 될까요?"

아주머니는 웃으며 우리를 집 안으로 초대해 주었다.

집으로 들어오니 할아버지네와 다른 또 다른 매력이 가득한 집이었다. 다양한 조개와 산호들로 장식된 집은 깔끔한 할아버지네와 다르게 아름다웠다.

"와, 집이 무척 아름다워요."

"그래? 고맙구나. 여기에 앉으렴."

아주머니가 가리킨 의자에 앉았다.

"그래서 해리랑 꼬마 인간은 무엇을 물어보려고 찾아왔니?"

아주머니의 질문에 집 구경에 정신 팔려있던 정신을 붙잡았다.

"일단, 저는 지구에서 온 인간 유진이라고 해요. 이 마을에 사는 모리가 만든 공간이동장치를 잘못 만져서 이곳으로 왔어요."

일단 자기소개부터 했다.

"다시 돌아가기 위해서는 공간이동장치를 가동할 연료가 필요해요. 엘라니아꽃만 있으면 연료를 만들 수 있어요. 그래서 엘라니아꽃의 행방을 물어보려고 촌장님을 찾아왔어요."

내 말이 끝나자, 해리가 이어서 말했다.

"지난번에 촌장 아저씨가 엘라니아꽃으로 음료수를 만들었다고 자랑하시면서 시식회를 열었잖아요. 그게 생각나서 찾아온 거예요. 혹시 아주머니 엘라니아꽃의 행방을 알고 계시는가요?"

우리의 말이 끝나자, 아주머니가 난처한 얼굴로 답하셨다.

"미안하지만 나는 엘라니아꽃이 어디 있는지 모른단다. 그냥 남편이 길 가다가 우연히 발견했다는 사실 밖에 모르지. 대답을 해줄 수 없어서 미안하구나."

그 대답을 들은 우리는 어쩔 수 없이 촌장님이 오기를 기다려야만 했다. 나와 해리와 아주머니는 촌장님을 기다리며 이런저런 대화를 나누었다.

"그럼, 인간은 물속이 아니라 물 밖에서 사는 거야?"

"응. 그럼, 이 행성에는 지상이 아예 없어?"

해리가 고개를 저었다.

"아니, 있어. 근데 많이 없지. 우리 마을 근처에 가장 넓은 지상이 존재해. 그곳에선 수중과 다른 생태계가 있어서 많은 연구자가 그곳을 조사하고 싶어 하지. 하지만 다들 조사에 매번 실패해서 미지의 영역이야."

이 행성에도 지상이 있긴 있었다. 완전 물로만 뒤덮인 행성은 아닌 모양이었다. 나는 해리의 말을 토대로 나름대로 이 행성에 대해 상상했다. 지구의 땅 대부분이 바다에 잠긴 모습과 비슷하지 않을까 싶었다.

"지상은 엄청 멋져. 수중과는 다른 매력이 있지. 좀 이따가 보러 갈래? 촌장님을 만나 뵙고서 말이야. 아마 멋질 거야. 장담해."

"좋아. 이 행성의 지상은 어떨지 궁금해!"

우리가 좀 있다가 지상에 올라갈 계획을 짜고 있는 사이 누군가가 들어왔다.

"다녀왔소. 음? 해리랑 인간 손님이 방문했네. 안녕 얘들아."

뒤를 돌아 마을의 촌장과 마주했다.

"안녕하세요. 촌장님. 지구에서 온 유진이라고 해요! 엘라니아꽃의 행방에 관해 묻고 싶어서 촌장님을 기다리고 있었어요."

"유진? 반갑구나. 나는 이 마을에 촌장 파빌이라고 한단다."

촌장님은 다가와 나에게 손을 내밀었다. 나도 가까이 가서 촌장님의 손을 잡아 악수했다. 가까이에서 본 촌장 파빌은 지금까지 본 어떠한 물 인간 중에서도 가장 덩치가 컸다. 해리 6명이 촌장님 안에 들어갈 수 있을 정도로 컸다. 그의 덩치에 감탄 밖에 나오지 않았다.

"그래서, 엘라니아꽃의 행방을 물으러 왔다고? 미안하지만, 알려줄 수 없을 듯하구나."

청천벽력과도 같은 소리에 온몸에서 힘이 풀려버렸다. 촌장님은 단호하게 돌아서, 나를 등지게 의자에 앉아버렸다. 그건 결코 알려주지 않겠다는 신호로 보였다.

"촌장님, 정말 안되는 건가요? 유진이는 엘라니아꽃이 없으면 원래 살던 곳으로 돌아갈 수 없어요."

해리가 나를 대신하여 사정을 설명하였다. 그럼에도, 촌장님은 고개를 저으셨다.

"해리야, 너도 알고 있겠지만, 엘라니아꽃은 우리 행성에서도 중요한 꽃이야. 함부로 서식지를 알려줄 순 없어."

슬픔이 한가득 몰려왔다. 집에 못 가는 건가. 두려움이 슬픔을 잡아 먹을 때쯤, 해리의 폭신한 손이 나를 달랬다.

"근데, 촌장님. 그 말에는 어폐가 좀 있는 거 같지 않아요? 그렇게 소중한 꽃을… 음료수로 만들어 드셨다니. 엘라니아꽃을 연구하는 학자들이 기겁할 거라고요. 솔직히 음료수 만들어 마시는 것 보다는 유진이가 돌아갈 수 있도록 연료에 쓰는 것이 더 좋지 않을까요?"

해리 특유의 장난기 넘치는 말투는 유지하면서도 날카롭게 촌장님을 몰아세웠다. 촌장님의 그 큰 덩치가 해리 앞에서 점점 작아져 보일 때 쯤. 촌장님이 크게 한숨 쉬시더니 자리에서 일어나셨다.

"하하… 해리, 네가 날 너무 잘 아는구나. 그… 엘라니아꽃으로 음료 만들어 마셨다는 건 학자들 귀에 안 들어가게. 쉬잇."

촌장님이 손가락을 입에 가져가며 조용히 해달라고 요청한다. 촌장님의 모습이 꽤 귀여워 피식 웃어버렸다.

"촌장님이 유진이가 돌아갈 수 있게 도와주신다면요. 생각해 볼게요."

"끄응… 그래 내가 엘라니아꽃을 발견한 곳에 데려다주마. 이리로 오렴. 부인 나 다시 나갔다 올게요. 금방 돌아오리라."

옆에 있던 해리가 나를 보며 싱긋 웃었다. '나만 믿어. 너 꼭 집에 보내줄게!'라고 작게 속삭이는 것도 잊지 않았다.

"아주머니 또 올게요."

"안녕히 계세요."

해리와 나는 아주머니에게 인사하고 촌장님을 따라갔다.

위기

"ㅁ…리야."

"우음…"

"모...리야."

"조금만 더..."

"모리야 일어나. 남은 재료들도 찾아야지!"

나는 하리가 갑자기 큰 소리로 외쳐서 듣고 깜짝 놀라며 일어났다. 정신을 차리고 보니 하리가 욕조 앞에 있었다. 나는 욕조에서 나와 하리와 방으로 들어갔다. 그러고는 오늘 찾아야 하는 재료를 말해주었다.

"오늘은 물 나비 날개랑 엘라니아꽃을 찾아야 해."

"근데, 나비도 지난번 검은콩처럼 네가 알고 있는 나비랑 내가 알고 있는 나비랑 다르게 생겼을 수도 있잖아."

"아, 그렇네."

나는 잠시 고민하다가 어제 사용했던 스케치북이 눈에 띄었다.

"저걸 사용하자."

나는 책상 위에 있는 스케치북을 가져와서 내가 알고 있는 나비를 그리기 시작했다.

다 그린 그림을 하리에게 내밀었다. 하리는 그림을 보고 나서 핸드폰을 켜고서는 무언가를 검색하더니 어떤 사진을 나에게 보여주었다.

"다행히 네가 아는 나비와 내가 아는 나비가 같은 것 같네."

우리가 생각하는 나비가 같은 것을 확인한 우리는 같이 서재로 이동하였다. 우리는 서재에 오자마자 나비 도감을 찾기 시작했다. 하지만 서재에는 책이 너무 많아서 나비 도감을 한참 찾아야만 했다.

그렇게 5분 동안 서재를 뒤적이고 있었는데 하리가 말했다.

"어. 저기 있다."

하리가 가리킨 곳을 보았더니 나비 도감이 있었다. 하리는 도감을 꺼내려고 까치발을 하고 팔을 뻗었다.

하지만 나비 도감에는 닿지 못하였다.

"으아... 너무 높이 있어서 닿지 않아. 내 방에 가서 의자를 가져와야겠어."

우리는 하리 방에 있던 의자를 질질 끌어서 서재로 돌아왔다. 의자가 아주 무거웠는지 들고 오는 하리는 조금 힘들어 보였다. 하리는 책장 아래에 의자를 두고는 의자 위로 올라가 쉽게 도감을 꺼낼 수 있었다.

하리는 꺼낸 도감을 나에게 건네주었다. 하리에게 건네받은 나비 도감의 표지에는 다양한 색상의 나비들 그림이 있었다.

"와, 정말 알록달록한 표지네 예쁘다."

"그치? 나비는 종류가 무척 많거든."

우리는 나비 도감과 의자를 끌고 서재에서 나왔다. 하리는 힘들었는지 잠시 걸음을 멈추고 물었다.

"모리야, 물 나비는 어떻게 생겼어?"

"물 나비는 푸른 빛을 띠는 나비야."

"그렇구나. 파란 나비라 어서 가서 찾아보자."

하리는 다시 힘을 내어 의자를 질질 끌어 방으로 갔다. 방문 앞에 도착하니까 책상에서 떨어진 내 가방이 보였다. 나는 가방 앞으로 가서 책을 책상 위에 올려두고 가방을 주워 들었다.

"으앗 대체 언제 이렇게 다 흘린 거지."

"미안. 아까 의자를 가져오다가 가방을 친 것 같아."

"아니야 괜찮아. 다시 주워 담으면 되지."

우리는 가방에서 떨어진 물건들을 하나하나 주웠다. 나는 작은 사전이랑 수첩을 주워서 다시 가방에 넣었다. 가방에 넣고는 하리를 보았는데 하리가 무언가를 손에 들고는 신기하다는 듯 보고 있었다.

"무슨일이야?"

"모리야, 이거 봐봐. 엄청 이쁜 나비 날개야."

하리가 보여준 물건을 보고 나는 깜짝 놀랐다. 하리가 손에 들고 있던 물건이 물 나비의 날개였기 때문이다.

"어? 하리야 그거 어디서 난 거야?"

"응? 모리 네 가방에서 떨어진 물건 줍다가 찾았어."

하리가 들고 있는 물 나비의 날개를 보며 저녁에 꾸었던 꿈이 떠올랐다.

"맞아. 그걸 잊어버리고 있었네. 그것이 우리가 찾던 물 나비 날개야. 할아버지가 주시고 가방에 넣어 놓았던 걸 까맣게 잊고 있었어."

"뭐 정말이야? 이렇게 중요한 걸 까먹고 있으면 어떡해!"

하리는 처음에 어안이 벙벙한 상태였지만 조금 시간이 지나고 하리의 얼굴에는 미소가 띠었다.

"그래도 물 나비 날개를 찾아서 다행이야. 그럼, 이제 구해야 하는 재료가 한 개밖에 남지 않았어. 마지막 재료가 엘라니아 꽃이라고 했었지?"

"맞아. 이제 엘라니아꽃만 남았어."

하리는 호다닥 서재에 가서 두꺼운 책 한 권을 가져왔다.

"이건 식물도감이야. 꽃, 풀, 나무 모든 식물에 대한 것이 적혀있어. 엘라니아꽃은 어떤 꽃이야?"

"엘라니아꽃은 주황빛을 띠는 꽃이야. 가루를 털어 내면 꽃이 죽고, 물과 공기가 만나는 동굴 벽 덩굴에서 피어나."

"동굴에서 사는 주황색 꽃…"

하리가 책 한장 한장 빠르게 넘기며 주황색 꽃이 나올 때만 멈췄다. 주황색 꽃 4개를 지나치고 5개째 될 때였다.

"이거야?"

하리가 나에게 보여준 페이지에는 동굴 벽면 덩굴 위에 주황색 꽃이 다섯 송이 피어있는 사진이 크게 있었다.

"맞아. 이거야. 이거! 이게 엘라니아꽃이야."

"음. 꽃 이름은 코바란자이고, 서식지는… '브라질을 비롯한 남미 일대'래."

브라질? 남미?

"그곳이 어딘데?"

하리는 핸드폰을 들어 몇 번 조작하더니 나에게 파란색과 초록색으로 가득한 사진 하나를 보여주었다. 그러고는 사진을 확대해 한 곳을 가리켰다.

"자 봐봐. 이건 지구를 보여주는 지도야. 여기가 지금 우리가 있는 대한민국 서울이야. 그리고 남미는…"

확대했던 사진을 축소 시키고 옆으로 사진을 밀어내 또 다른 곳을 가리켰다.

"여기가 남미야. 그러니까… 남미에 가려면 바다를 건너야 해. 그것도 지구에서 가장 큰 바다 태평양을!"

크다고 말하지만, 사실 사진상으로는 얼마나 큰지 감도 잡히지 않았다.

"음. 오래 걸려?"

"내가 알기론 여기서 저기까지 가는데 비행기로 하루가 꼬박 걸린댔어. 또 비행기는 매우 비싸고."

지구의 화폐단위도 잘 모르고 시간 개념도 잘 모르겠다. 하리가 말하고는 있지만 잘 이해되지 않았다.

"모리야. 이해 못 했지? 그러니까 한마디로. 정리하자면, 못 구해."

못 구한다고? 그러면… 집에 못 가는 건가? 재료들을 모두 다 찾았는데? 이럴 수가. 있는데 구하지 못하다니!

"으아! 어떡해!!"

한 줄기 빛

우리는 엘라니아꽃을 찾아 이동하며 촌장님의 이야기를 들었다.

"내가 엘라니아꽃으로 음료수를 만들긴 했지만, 엘라니아꽃 그 자체를 사용한 건 아니야. 나는 엘라니아꽃의 꽃잎들만 마을 밖에서 주웠단다. 그래서 그 꽃잎들로 음료수를 만들었지. 하지만 그 근처엔 동굴이 없어서 나도 엘라니아꽃이 정확히 어디 있는지는 알려줄 수가 없단다. 왜냐하면 나도 모르기 때문이지."

촌장님을 따라 우리는 마을 밖으로 나올 수 있었다. 촌장님이 우릴 데리고 간 곳은 마을의 뒤편을 감싸고 있는 절벽 아래였다. 해리가 주변을 둘러보더니 말했다.

"여긴, 가장 넓은 지상의 아랫부분이죠?"

"그래. 여긴 가장 넓은 지상 중 남쪽 부분이란다. 나는 이 근처에서 꽃잎 14개를 구했어. 이 근처엔 해저 동굴이 없으니까. 엘라니아꽃의 위치를 특정 짓진 못하지만. 내가 생각하기엔…"

말하던 촌장이 한쪽을 가리켰다.

"저기에 엘라니아꽃이 살고 있을 것 같더구나."

촌장이 가리킨 곳으로 다가가니 사람 한 명 지나갈 정도의 작은 바위 틈새였고 그곳에선 강한 물살이 흘러나왔다.

"아마도 이 틈이 연결된 곳이 동굴일 테지. 그 동굴 속에 너희가 찾는 엘라니아꽃이 있는 걸 거야."

촌장이 이어서 설명해 주었다.

"하지만. 여기서 나온 물살이 너무 거세서 이곳으론 들어갈 수 없지."

"이 마을 최고의 속도를 가진 제가 도전해 보죠."

당당한 모습의 해리가 물살이 나오는 곳 앞에 서서 호흡을 가다듬는다.

"스읍… 후."

눈빛이 일순 바뀌고, 나를 물 인간 사이에서 빼어냈을 때처럼 매우 빠른 속도로 물살을 거슬러 헤엄치기 시작했다. 파닥파닥하는 모습이 안타깝게도 해리는 앞으로 나아가긴커녕 뒤로 밀려나기만 했다.

"푸흡."

애쓰고 있는 모습과는 반대로 뒤로만 가는 해리를 보니 웃음이 저절로 나왔다.

"하하하."

해리가 멈춰서서 나를 째려본다.

"웃지 마. 유진아. 나름대로 엄청 열심히 했다고."

시무룩한 해리를 토닥여주었다.

"미안해 웃어서."

촌장님도 얼굴에서 웃음기를 뺐었다.

"나도 이곳에 오래 살았지만, 아직 이 물살을 거슬러 올라갔다는 물 인간은 본 적이 없지. 해리, 네가 우리 마을 사람 중엔 가장 빠른 아이인데 네가 못 올라가는 거면. 거의 방법은 없다고 봐야지. 나도 들어갈 방법이 있는지 같이 고민은 해주긴 하겠지만… 크게 좋은 방법을 강구해 낼 수 있을 것 같진 않구나. 도움이 크게 되지 못해서 미안하네."

"아니에요. 촌장님. 여기서부턴 저희가 또 찾아볼게요. 위치 알려주셔서 감사해요!"

"그래. 벌써 시간이 이렇게, 나는 할 일이 있어서 이만 가보마. 좋은 소식이 있기를 기원하마."

촌장님은 우리에게 가볍게 인사하고는 몸을 돌려 마을로

쏜살같이 돌아갔다. 어지간히 급한 일이었나보다. 해리는 근처 바위에 걸터앉아 나를 불렀다.

"힘드니까, 일단 여기 앉아서 쉬면서 생각해 보자."

걷는 게 아니라 수영만 했을 뿐인데도 몸이 매우 지쳤다.

"일단 내가 아는 정보부터 알려줄게. 아까 말했듯이 나는 이 위에 지상을 매우 좋아해. 그래서 이곳을 자주 와봤고 하지만, 이 아래에서 동굴을 본 적은 한 번도 없어. 그러니까 내가 하고 싶은 말은."

해리가 뜸을 들인다.

"하고 싶은 말은?"

해리의 말을 기다리며 온 신경을 그에게 쏟았다

"저 틈이 어디로 이어져 있는지 모른다는 뜻이야."

긴장하고 있던 몸에서 힘이 쑥 빠진다.

"뭐야. 중요한 이야기일 줄 알았는데."

해리가 장난스러운 웃음을 지으며 손을 내민다.

"아무튼, 지금 당장 저 틈에 들어갈 방법은 없다는 이야기야. 이렇게 된 거 잠깐 쉬어가는 건 어때?"

한 손은 나를 향해 있었고 다른 한 손은 수면 위. 그러니까 지상을 가리켰다. 라메흐 행성에 도착하고부터는 계속 수중에만 있었다. 나도 모르게 지상이 그리웠는지, 엘라니아꽃은 잠시 뒤로 미루고 해리의 손을 잡는 걸 택했다. 해리는 나를 이끌고 수면 근처로 천천히 올라갔다.

얼굴을 수면 밖으로 내밀었다. 그 상태로 공기 방울을 해제시켰다.

"스읍- 후!"

상쾌한 공기가 내 콧속으로 들어와 폐를 맑게 한다.

"와, 공기가 반가운 건 태어나서 처음이야."

"여기서 이러고 있을 거야? 땅을 밟아 봐야지. 이리 와."

발이 안 닿던 곳에서 해리를 따라 조금 헤엄쳐 앞으로 이동하니 금세 바닥에 발이 닿았다. 수영은 멈추고 물을 가르며 천천히 걸어서 지상으로. 육지로. 땅으로 올라왔다.

고운 모래 알갱이들이 내 발을 간지럽혀왔다. 작년에 간 바다에선 물 묻은 발에서 떨어지지 않는 모래들이 골치였는데. 오늘도 똑같이 내 발에 딱 달라붙어 있는 모래였지만. 이마저도 행복했다.

해리는 까맣게 잊은 채로 해안을 달렸다. 할아버지가 마련해준 방에도 공기로 가득 차 있지만 그곳은 갇혀있다는 단절감 때문에 지금과는 분위기가 확연히 달랐다.

이곳은 탁 트여있었고, 그냥 무인도의 바닷가 같았다. 그만

큼 지구와 유사했다. 시원한 바람이 젖은 내 옷들을 말려주었다.

"음, 나라면 그렇게 뛰어다니지 않고 가만히 누워서 하늘을 바라볼 거야."

해리는 그렇게 말하고는 모래 위에 누웠다.

"하늘?"

고개를 올려 하늘을 바라보니 수많은 별이란 이름의 보석들이 우리를 환하게 비춰주고 있었다. 나도 해리 옆에 누워 별 무리를 감상했다. 항상 집에서 보던 밤하늘은 어둡기만 하고 별은 한두 개 보이는 게 다였는데. 이곳에서의 별은 정말 셀 수 없이 많았다. 별들은 반짝반짝 빛나며 우리를 비췄다.

파도 소리와 시원한 바람이 나에게 졸음을 불러와 잠깐 눈을 감았다.

깜빡 잠이 들었을까. 얼굴에서 느껴지는 차가운 촉감에 눈을 떴다.

"으음… 해리야?"

"별 보고 있는 줄 알았는데. 잠든 거야? 너한테 보여주고 싶은 게 아직 많아."

나를 일으켜 세워주며 말했다.

“약간 허기지지 않아? 이 근처에 맛있는 과일이 있어. 이리 와.”

해리는 나에게 길을 알려주기 위해 앞장서서 걸었지만. 매우 느렸다. 엄청 느렸다. 내가 3걸음이면 갈 수 있는 거리를 30분 동안 엉금엉금 기어가는 것만 같았다. 땅에 올라와서 느려진 건가.

‘거북이 같다. 물속에선 빠르고 지상에선 느린.’ 이런 생각을 하니 웃음이 새어 나왔다.

“유진? 왜 웃어. 뭔가 이상해?”

“하하. 아니야. 바닷속에선 빠르고 지상에서는 느린 것이 꼭 거북이 닮은 것 같아서.”

해리는 고개를 갸웃했다. 이곳엔 거북이가 없나?

“거북이가 뭐야?”

“음, 등에 단단한 껍질이 있는 생물이야. 바다에서 살지만 모래사장에 알을 낳는데. 바다에서는 빠른 속도로 헤엄치고 모래사장에선 천천히 기어다니거든.”

흥미롭게 이야기를 들어주었다.

“그나저나, 땅 위로 올라와서 그런가? 네가 더 작아진 거 같아.”

“오, 맞아. 우리 물 인간들은 물에 있을 때 좀 더 퍼져있거든. 그래서 조금 더 커 보일 거야. 물 밖에 있으면 수축한다고 해야 할까. 몸을 구성하는 물들이 쪼그라들어. 그래서 그런 걸 거야. 몸이 작아지니까 보폭도 짧아져서 느려지는 것도 있을걸?"

해리가 이 정도 크기라면. 음… 내가 해리를 엎고 걸으면 더 빨리 이동할 수 있을 것만 같다.

"해리야. 너 무거워?"

가볍게 무게 체크부터 하고.

"무겁냐니? 잘 모르겠는데?"

"그럼, 잠시 실례."

사촌 동생들을 업기 위해 단련된 어부바 실력을 뽐내었다. 한 번에 해리를 등위로 올렸고, 손으로 해리의 아래쪽을 받쳐 안정적인 상태로 업었다. 해리가 안 무거운 건 아니었지만, 엄청 무겁지도 않았다. 해리를 업고 뛰는 건 힘들겠지만 빠르게 걷는 것 정도라면, 쉽게 가능할 것 같다.

"내가 너의 발이 되어줄게. 네가 나한테 어느 방향으로 가야 하는지 알려줘."

"이거 좋은 생각인데? 직진!"

해리의 지시에 따라 아까보다 더 빠르게 덤불을 향해 걸었다. 덤불에 가까워지니 초록 잎들 사이 사이에 숨어있는 빨간 열매가 존재감을 드러냈다.

"오, 인간은 우리랑 다르게 지상에서 빠르구나. 정말 순식간에 이곳까지 왔어."

나는 해리를 내려주었다. 해리는 열매를 몇 개 따서 나에게 건네주었다.

"자, 먹어봐. 어제 우리 집에서 먹은 저녁 식사와는 차원이 다를 걸?"

확신에 가득 찬 모습이었다. 해리의 확신을 믿고 열매 한 개를 입에 쏙 넣어보았다. 한입 깨어 물자 열매의 즙이 터져 나왔다. 새콤한 맛이 입을 가득 채워 나를 향기롭게 만들었다.

"와, 진짜 맛있어. 새콤하고 달콤해. 너무 작아서 아쉽다."

"양은 걱정하지 마."

덤불을 들쳐 뒤에 펼쳐진 열매 밭을 보여주었다.

"와. 진짜 많구나."

"응. 그러니까 걱정하지 말고 따서 먹어도 돼."

나는 해리를 따라 열매를 한 움큼 땄다. 하나씩 입에 쏙쏙 넣으며 주변을 둘러봤다. 해변에선 조금 멀어져 있었고 덤불 뒤로는 바위로 뒤덮인 언덕이 보였다.

"저 바위 언덕 너머엔 뭐가 있어?"

"음. 반대편 해안가가 나올걸? 모든 해안에서 저 바위 언덕이 보이거든. 근데 아무도 바위 언덕 위에 올라가 본 물

인간은 없어."

"아무도? 왜?"

바위까지 그리 멀지도 않은데, 물 인간들이 이루고 있는 문명 발전 정도면 충분히 올라가고도 남았을 것 같았는데.

"아까도 봤지만. 우리 물 인간들은 지상에서 움직임이 쉽지 않으니까. 원래 여기 덤불까지 오는 것도 하루 대부분의 시간을 투자해서 와야 하거든. 어떤 기계나 장치를 써도. 지상에서 느려지는 우리의 단점을 보완할 수가 없어서 아직 한 명도 저 위에 올라가 본 적이 없어. 우리도 너처럼 빨리 걸을 수만 있다면 저기까지 갈 수 있겠…"

갑자기 해리의 얼굴에 큰 미소가 걸렸다.

"너처럼? 유진아. 너라면 저기까지 갈 수 있어. 그렇지? 우리가 저 바위 언덕을 최초로 정복하는 거야! 우리라면 할 수 있어. 어때?"

나는 손에 올려놓았던 열매들을 입에 다 털어 넣고 해리에게 등을 내밀었다.

"자, 타. 바위 언덕을 정복하러 가자!"

'그 누구도 가본 적 없는 곳을 '최초'로 정복할 영광스러운 기회가 또 어디 있겠어. 태극기가 있으면 닐 암스트롱이 달에 미국 국기를 꽂은 것처럼 나도 태극기를 꽂을 수 있었을 텐데.'라는 실없는 생각을 하며. 해리를 업고 바위 언덕을 향해 부지런히 걸었다.

점점 가까워져 바위 언덕의 바로 앞에 도착했다.

"나 계속 업고 있는 거 무겁지 않아? 여기서부터는 내가 걸어갈까?"

"너는 그냥 내 뒤에 계속 있어. 위에 올라가서 내려줄게."

나는 해리를 업은 손의 위치를 약간 바꿔 좀 더 편안한 자세로 바꾸고 언덕 위로 발을 올렸다. 지금까지 밟았던 부드러운 모래사장과, 부드러운 흙과는 다른 단단하고 시원하고 까칠한 표면이 내 발바닥에 닿았다. 신발이 없었기에 바닥을 잘 보며 걸어야 했다. 혹시라도 삐져나온 뾰족한 돌 표면에 발이 찔리면 안 되니까.

조심조심 한 걸음 한 걸음 위로 올라와 드디어 바위 언덕의 위에 도착할 수 있었다.

"어?"

해리를 내 등 뒤에서 천천히 내려주었다. 해리는 내가 보고 있는 곳을 똑같이 바라보았다. 나와 해리는 조금 당황스러웠다. 그도 그럴게. 우리 앞에는 깊은 구멍이 있었다.

"구멍이지 이거?"

나는 조심히 구멍 근처로 다가가서 구멍의 아래를 확인했다. 주변에 있던 돌을 하나 주워서 구멍 안쪽으로 던져보았다. 수 십초의 시간이 흐르고 청명한 소리가 귀로 들어왔다.

-퐁당.

"내 생각엔, 아래에 물로 채워진 것 같아."

"내 생각도 똑같아."

해리가 고개를 끄덕였다.

"그리고 내 생각엔. 여기가. 아까 그 틈의 또 다른 구멍 같지 않아? 여기가 아까의 그 틈이라면. 촌장님 말대로 틈 속에 동굴이 있고, 동굴이 여기랑 연결된 거라면. 여기 아래에 엘라니아꽃이 있을 거야!"

"하지만 아닐 수도 있잖아."

나도 여기가 그 틈의 또 다른 구멍 같았지만, 아닐 가능성도 충분히 있었다. 만약에 들어갔다가 그 상태로 저 물웅덩이에 갇힌다면? 못 빠져나오고 저곳에서 죽을지도 모른다!

해리가 구멍 아래를 뚫어져라 쳐다보았다.

"음, 내 감을 믿어봐. 저긴 아까 그 틈이랑 연결돼 있을 거야. 그리고. 연결되어 있지 않더라도 저곳이랑 연결된 또 다른 통로가 있을 거야."

"어떻게 확신해?"

나를 향해 싱긋 웃어 보였다.

"유진아. 잠깐만."

해리가 내 옷에 붙어있던 나뭇잎을 떼어내더니 구멍 아래로 떨어트렸다. 나뭇잎은 천천히 떨어져 물 표면 위에 착지했다.

"자, 잘 봐봐. 나뭇잎이 어떻게 움직이는지."

나뭇잎은 왼쪽을 향해 물을 따라 움직였다. 그리고 빠르게 바위 아래로 들어가 버려 더 이상 나뭇잎의 이동을 볼 수 없었다.

"방금 나뭇잎 이동하는 거 봤지? 저건 아래의 물이 흐름을 가지고 있다는 증거야. 고여있는 물이라면 나뭇잎이 움직이지 않았겠지."

그럼에도 고민되었다.

"만일 물이 통하고 있어도 물길이 너무 좁아서 내가 못 지나가면 어떡해?"

"그럼 이렇게 하자, 내가 먼저 내려갈게. 그리고 네가 내려와. 나는 내려가서 여기가 밖으로 빠져나가는 길이 있는지 한 번 더 체크하고, 만약에 빠져나가는 틈이 너무 작아서 너는 나가기 힘들다면 너는 들어오지 말고 아까 온 길대로 해서 마을로 돌아가."

"그럼 너는?"

"네 생각보다 물 인간은 유연해. 좁은 틈도 지나갈 수 있어."

"그런 방법이 있구나."

해리가 크게 미소 짓더니 말했다.

"그럼, 이 계획으로 결정! 내가 먼저 내려가 볼게!"

말릴 틈도 없이 해리는 구멍으로, 물속으로 뛰어들었다.

5초 뒤 청량한 소리가 귀로 들어왔다.

-퐁당.

"해리야! 괜찮아?"

"완전 괜찮아!"

해리는 물속에서 이리저리 살피더니 다시 수면 위로 올라왔다.

"유진아! 우리 예상이 맞았어. 아까 그 틈이랑 연결된 거 같아. 이리로 내려와. 너도 충분히 지나갈 수 있는 크기야!"

해리가 나를 불렀다. 나는 크게 심호흡했다. 수영하는 건 좋아하지만 사실 이 정도의 높이에서 다이빙을 해본 경험은 한 번도 없었다.

"할 수 있어! 유진아. 뛰어!"

눈 딱 감고 힘차게 뛰었다. 몸이 강한 중력을 느꼈다. 빠르게 물을 향해 낙하했다.

“끄아아!”

-풍덩.

온몸이 물을 감쌌다. 나는 목을 더듬어 할아버지가 만들어 주었던 공기 방울 장치를 작동시켰다. 얼굴에 있던 물들은 멀리 도망쳤다.

“으아. 무서웠어!”

“하하하. 무서워할 때가 아니야 이리 와봐.”

해리가 앞장서서 동굴의 벽 쪽으로 나를 데리고 갔다. 그리고 주황빛의 아름다운 꽃을 볼 수 있었다.

“이거 설마.”

“맞아! 이게 엘라니아꽃이야.”

아까 전 촌장님 집에 가기 전에 보았던 덩굴과 똑같은 덩굴이 내 눈앞에 보였고, 덩굴 속에서 하나의 주황색 꽃이 존재감을 강하게 내 뿜었다.

“진짜. 예쁘다.”

눈을 뗄 수 없는 아름다움이었다. 지구에서 본 그 어떤 꽃과도 비교할 수 없었다.

"근데… 꽃이 지금 시들어 가고 있는 것처럼 보여. 아름답긴 하지만 조금 약해 보여."

"아, 그러고 보니 지금 시즌이 꽃잎이 떨어지는 기간이야. 일단 꽃가루를 가지고 할아버지께 가자. 나한테 작은 주머니가 있어. 여기에 담자."

해리는 꽃 아래에 주머니를 펼쳐 고정했고, 나는 엘라니아꽃의 꽃가루를 털어 주머니 속으로 넣었다. 조금 쌓인 엘라니아꽃가루를 보고 해리가 말했다.

"역시, 상태가 안 좋아서 그런가. 평소에 나오는 양보다 더 적은 거 같아. 이 정도로 괜찮겠지?"

"양이 적어도 할아버지에게는 방법이 있지 않을까?"

"그랬으면 좋겠다."

나는 해리에게서 꽃가루를 다 넣은 주머니를 받아 옷 속에 소중히 넣었다.

"자, 손잡아. 이제 밖으로 나갈 시간이야. 알고 있겠지만 나가는 건 아까 그 물살 센 틈을 통해서 나갈 거야. 순식간에 나가질 테니까 정신 꽉 붙들어 매고. 가자!"

해리는 내 손을 잡고 나를 이끌며 밖으로 연결된 틈을 향해 이동했다. 틈 근처로 가니 우리가 움직이지 않아도 물의 흐름이 알아서 우리를 틈으로 인도했다. 틈에 다가갈수록 물이 빨라졌고, 순식간에 우리는 틈을 통과해 촌장님과 왔던 그 자리로 빠져나올 수 있었다.

"와, 롤러코스터 타는 것 같았어. 방금 건 좀 재미있었는데

"롤러코스터? 그게 뭔진 모르겠지만. 재미있다는 거엔 동의해. 이렇게 빠른 물살에 몸을 맡기는, 이 기분 최고다."

해리는 혹시 물살에 주머니가 떠내려갔을까 봐 주머니가 잘 있는지 확인하고 해리의 손을 잡고 전속력으로 할아버지를 향해 헤엄쳤다. 할아버지에게 이 가루를 드리면 할아버지가 연료를 만드실 거고, 그렇다면 그러면! 다시 나는 지구로 이동할 수 있는 거다.

"할아버지. 저희 왔어요!"

순식간에 할아버지의 방에 도착했다. 할아버지는 공간이동 장치를 들고 기계 앞에 서 있었다.

"음, 해리야. 유진아 왔구나. 무슨 일이니?"

나는 대답 대신에 옷 속에서 주머니를 꺼내 할아버지에게 드렸다.

"할아버지. 엘라니아꽃가루를 가져왔어요."

"하지만, 시들기 직전의 꽃이어서 그런지 꽃가루가 많이 나오지 않았어요. 이 정도 양으로도 유진이를 지구로 돌려보낼 수 있나요?"

"음, 확인해 봐야겠구나."

할아버지는 기계 장치 위에 꽃가루를 올려 두시고는 여러 장치를 통해 꽃가루를 정밀히 살피셨다.

"오. 정확히 딱 1번 공간이동장치를 가동할 수 있는 양이 나올 것 같구나."

'가동할 수 있다. 집으로 갈 수 있다!'

집으로 갈 수 있다는 생각만으로도 이미 지구에 와있는 것만 같았다.

"진짜로 저 갈 수 있는 거죠?"

할아버지가 고개를 끄덕이셨다.

"일단 연료로 혼합하는 과정은 조금 더 걸릴 것 같구나. 연료가 제작되길 기다리면서 우리는 식사라도 하는 것이 어떻겠니?"

해리는 크게 고개를 끄덕였고, 나도 강하게 긍정의 표시를 했다.

어제 저녁 식사를 했던 장소 그대로. 어제 저녁 먹었던 의자에 앉아 나는 할아버지네 가족들과 다 같이 식사했다. 어제는 대화가 안 통해 혼자 밥만 먹었어야 했는데. 오늘은 달랐다. 할아버지가 주신 번역기도 있었고, 해리와도 친해졌고 이곳의 생활도 익숙해져 그들의 대화에도 같이 껴 대화할 수 있었다. 집에 갈 때가 되어서야 이곳에 익숙해진 것만 같아 시원섭섭해졌다.

"유진아, 엘라니아꽃을 찾았다고? 돌아갈 수 있게 되었구나. 축하한다!"

아주머니가 말씀하셨다. 이어서 해리의 옆에 앉은 가장 큰 손자인 태리가 입을 열었다.

"한 번만 공간이동이 가능한 연료의 양이라고 했지? 그럼 네가 지구로 가도 모리가 돌아올 순 없는 거네."

금방 가족들의 분위기가 차가워졌다. 아주머니의 눈에서는 눈물이 흐르기 직전이었다. 나도 내가 집에 돌아갈 수 있다는 기쁨에 나와 위치가 바뀌어 버린 모리라는 아이의 안위를 까먹고 있었다. 나만 신경 쓰고 남을 신경 쓰지 못했다니. 이러면서 너무 좋아했다.

"음... 제가 돌아가서 모리를 만나서 모리가 이곳으로 돌아올 수 있도록 최선을 다해 도와줄게요. 제가 집을 그리워하는 것 처럼 모리도 이곳을 그리워하고 있을 게 분명하니까요. 여러분이 저를 도와주셨던 것처럼 이번엔 제가 모리를 도와줄게요."

내 말을 들은 아주머니는 내 근처로 와 내 손을 꼭 잡으며 말하셨다.

"잘 부탁한다. 유진아."

"네!"

내가 할 수 있는 최대한의 힘으로 힘차게 대답했다.

식사를 마치고 할아버지와 함께 할아버지의 연구실로 돌아왔다. 연료가 다 만들어졌는지 확인하기 위해서.

"다 만들어졌구나. 내가 기계 작동을 준비하고 있을 테니 들고 온 짐들을 쌓고 집 밖 마당으로 나오렴. 그곳에서 장치를 가동할 거야."

나는 고개를 끄덕였다. 가방과 신발을 챙기기 위해 방으로 돌아왔다. 침대 옆에 두었던 신발을 신고, 테이블 옆에 두었던 가방을 멨다. 고작 하루 지낸 방이었지만. 10년은 지낸 것처럼 익숙해졌고, 다시 이 방을 못 볼 거란 생각에 아쉬움만 남았다. 괜히 침대 위에 한 번 누워 보았다. 지구에 가면 다시는 못 느낄 시원하고 폭신한 이 감촉을 최대한 몸에 새겼다. 그러고는 방에서 나왔다.

방에서 나와 가장 먼저 본건 해리였다.

"이제 갈 시간이네 유진아. 오늘 하루 재미있었어. 다음에 또. 본다는 건 너무 위험한 말인 것 같고… 음, 건강하게 잘 지내줘."

해리와 인사를 나누고, 아주머니가 내 손을 다시 한번 잡으셨다.

"모리를 만나면, 가족들이 매우 그리워하고 있다고, 사랑한다고 전해 주겠니?"

"당연하죠."

태리가 다가오더니 나에게 무언가 건넸다.

"이건 모리가 좋아하는 음료수야. 모리를 만나면 이걸 전해줘. 이거 마시고 정신 똑바로 차리고 얼른 돌아오라는 말도 같이 전해줘."

"알겠어."

물 인간 가족들과 인사를 끝내고, 할아버지가 나에게 공간이동 장치를 건네주었다.

"알고 있겠지만, 이 버튼을 누르면 지구로 이동할 거야. 준비가 되면 누르렴."

"네. 근데, 할아버지는 모리에게 전하실 말 없나요? 제가 전달할게요."

할아버지는 잠시 고민하시더니

"그럼, 이 말을 전해 주겠니? 지구와 라메흐는 유사한 점이 많으니 분명 라메흐에서 만든 공간이동장치를 지구에서도 만들 수 있을 거라고. 그러니까 포기하지 말고 만들라고 전해주렴."

"제가 꼭 전해줄게요."

나는 공간이동 장치를 다시 한번 꽉 쥐었다.

"이틀 동안 감사했어요. 모리가 다시 돌아올 수 있도록 제가 끝까지 도울게요. 감사해요. 모두들."

나는 버튼을 꾹 눌렀다. 라메흐로 이동했을 때처럼 강한 빛이 나를 포위했고, 공간이 일그러졌다.

-쾅

빛이 사라지고 나는 어딘가로 떨어졌다. 눈을 슬며시 떠서 주변을 확인해 보니.

"여긴…"

라메흐 행성으로 오기 직전에 내가 있었던 하리네 아파트의 엘리베이터 안이었다.

"아, 하리도 날 걱정하고 있을 텐데. 갑자기 사라져서 당황했겠지? 일단 하리네 집으로 가야겠다."

나는 어지러운 머리를 부여잡고 하리네 집인 13층을 눌렀다. 엘리베이터는 천천히 올라갔고 문을 열어 13층에 나를 내려주었다.

-띵동

“안에 없나?’

안에서 우당탕하는 소리가 들리고 문 너머로 누군가 있다는 게 느껴졌다.

“누구세요?”

문 뒤에서 들리는 익숙한 목소리! 하리다.

“하리야! 나야. 유진이.”

합류

어디선가 띵동- 소리가 들렸다. 집중하고 있던 하리와 모리는 깜짝 놀라 비명을 질렀다.

"으악!"

모리는 깜짝 놀란 마음을 진정시키고는 욕조가 있는 화장실로 가 숨었다. 하리는 모리가 숨은 것을 확인하고 현관문 근처로 다가갔다.

"누구세요?"

"하리야! 나야. 유진이."

하리는 익숙한 목소리가 들려오자 신나서 문을 열었다. 둘을 갈라놓던 현관문이 열리고 이틀 만에 둘은 만날 수 있었다. 이틀 동안 서로 많은 일이 있었기에 고작 이틀 못 봤지만 2년은 못 본 듯 서로를 꼭 끌어안아 주었다.

"보고 싶었어. 하리야. 나 진짜 힘들었거든."

"나도야. 네가 라메흐에서 지구로 못 돌아오는 줄 알고 걱정했어. 네가 돌아와서 기뻐."

하리의 말을 듣던 유진이가 멈칫한다.

"네가 라메흐를 어떻게 알아? 혹시 너. 모리라는 애를 만났어?"

둘의 대화를 욕조에서 숨어 듣고 있던 모리는 유진이를 보기 위해 화장실에서 나왔다.

"내가 모리야."

"깜짝아. 모리야 언제 나왔어?"

소리소문없이 등장한 모리를 보고 유진이가 아닌 하리가 깜짝 놀란다. 오히려 유진이는 태연했고 생일 선물을 받은 아이처럼 얼굴에 환한 미소가 번졌다.

"네가 모리구나! 질렌 할아버지께 이야기 많이 들었어."

"우리 할아버지를 만났어?"

유진이가 고개를 끄덕였다. 이 기쁜 상황에 하리가 끼어들었다.

"일단, 우리 앉아서 대화하자. 이리와 내 방으로 가자."

그제야 유진이와 모리는 불편한 현관에서 대화하고 있다는 사실을 깨달았다. 세 명은 편한 방으로 장소를 옮겨 앉았다.

하리는 침대에 유진이는 책상 의자에 모리는 장난감 상자 위에 앉았다. 자리를 잡고 나서 하리의 질문으로 다시 대화가 시작할 수 있었다.

"그래서, 어떻게 돌아온 거야? 분명 모리가 너 못 돌아올 거라고 그랬었거든."

"분명 내가 마지막 남은 엘라니아꽃을 사용해서. 라메흐 행성엔 더 이상 엘라니아꽃이 없지 않았어?"

하리와 모리의 폭탄 질문 세례를 유진이가 정리했다.

"자자, 기다려봐. 내가 라메흐에서 있었던 일을 다 알려줄게."

유진의 이야기를 듣기 위해 하리와 모리는 자리를 고쳐 앉았다.

유진이는 가장 먼저 엘리베이터에서 라메흐 행성으로 이동했던 일로 이야기를 시작했다. 처음엔 라메흐를 영화촬영장으로 오해했던 일에 대해 말하니 하리는 웃음이 터졌고 모리는 영화가 무엇인지, 촬영장은 무엇인지 물어봐 유진이와 하리가 설명해 줬다. 유진이는 질렌 할아버지를 만나 엘라니아꽃이 필요하다는 것을 들었고, 마을 촌장이 최근에 엘라니아꽃으로 음료수를 제조했다는 이야기를 듣고 촌장을 찾아갔었고, 모리의 형제인 해리와 함께 지상에서 휴식을 취하다가 바위 언덕에서 엘라니아꽃이 살고 있는 해저 동굴을 발견했던 것까지 모두 하리와 모리에게 말해주었다.

유진이의 이야기를 들은 모리의 눈가가 촉촉해졌다.

"가족들이 다들 잘 지내고 있는 것 같아서 다행이다."

"다들 잘 지내고 계시고, 다들 널 그리워해. 아, 맞아 태리가 너에게 이걸 전달해 달랬어."

가방을 열어 모리가 좋아하는 음료수를 꺼내 주었다.

"태리가 '이거 먹고 정신 똑바로 차리고 얼른 돌아와.'라고 전달 부탁했어."

유진이가 태리의 목소리와 행동을 따라 하며 말했다.

"하하, 진짜 태리가 말하는 거 같아."

모리는 음료수를 건네받고 뚜껑을 열어 한 모금 맛봤다. 익숙한 맛에 힘이 차오르는 기분을 느꼈다.

"또, 아주머니가 가족들은 너를 매우 그리워하고 사랑한다고 말하셨어. 또 질렌 할아버지는 '지구와 라메흐는 유사한 점이 많으니 분명 라메흐에서 만든 공간이동장치를 지구에서도 만들 수 있을 거란다. 그러니까 포기하지 말고 만들 거라.'라고 말하셨어"

유진이의 말에 힘을 얻은 모리

"좋았어! 힘내서 얼른 돌아가야지!!"

"그럼, 이제 너희들 이야기도 들려줘 너희 둘은 어쩌다가 만나게 된 거야?"

모리가 먼저 유진이랑 공간이동 장치가 바뀐 것을 알고 뒤쫓다가, 하리랑 우연히 만난 사건부터 유진이에게 말해주었다. 둘은 처음 만났을 때 당황했지만 검은콩부터 차근차근 연료를 다시 만들기 위해 재료를 찾았던 과정을 나열했다. 모리가 검은콩이라고 부르던 재료는 커피 원두였던 것, 아리아 정수는 마트에서 탄산수를 찾아 해결하였고, 옅구름은 꽃집에서 찾은 목화였고 바람꽃은 민들레였고 씨들이 날아간 줄기가 재료였다는 것 마지막으로 모리의 가방에서 물나비 날개를 찾은 것까지 모리가 유진이에게 말했다.

"물나비 날개까지는 확보했고, 도감으로 엘라니아꽃은 어디에 서식하는지 찾긴 했지만…"

"찾긴 했지만?"

유진이가 되물었다.

모리가 우물쭈물해 하자 하리가 말을 이었다.

"엘라니아꽃은 지구에서 코바란자라고 불러. 서식지는 브라질을 비롯한 남미 일대래. 현재로선 우리가 찾으러 갈 수 없어. 브라질까지 가려면 너도 알다시피 돈이 많이 들잖아."

"설마 남미일 줄이야. 도감으로 찾았다고 했지? 나도 한번 볼래."

유진이는 도감을 받아 직접 확인했다. 코바란자라고 불리는 엘라니아 꽃의 설명을 하나하나 천천히 읽었다. 설명을 다 읽은 유진이는 한숨을 푹 내쉬었다.

"별다른 말은 없지?"

하리의 질문에 유진이는 고개를 끄덕이며 책을 덮어 책 자체를 이리저리 살펴보았다.

"혹시?"

덮어져 있던 도감을 다시 펼친 유진이는 가장 첫 장을 한번 보고 가장 마지막 장을 살펴보았다.

"역시나. 얘들아, 이거 봐봐. 여기 날짜."

책을 모두가 볼 수 있도록, 책을 가운데에 펼쳤다.

"이게 출판 연도거든. 지금 벌써 2024년인데 이 책은 봐봐 1998년에 출판된 책이야. 그러니까 벌써 26년이나 지난 책인 거지."

"그럼. 최신 정보가 반영이 안 되어 있다는 거고. 그렇다는 건 현재에는 또 다른 곳에서도 꽃이 있을 수도 있다는 거지?"

유진이 크게 고개를 끄덕였다. 유진이와 하리의 말을 듣던 모리는 침대 위에 올려진 하리의 핸드폰을 들고 아이들에게 건넸다.

“핸드폰은 수많은 ‘최신’ 정보가 많은 유용한 기계라고 했었지? 그럼, 최신 정보를 찾기에는 이게 제격이네!”

“좋았어. 다시 찾아보는 거야 최신 정보로!”

“부디 최근엔 우리 근처에서도 발견되었으면 좋겠다.”

하리는 모리에게서 하리네 폰을 건네받았고, 유진이는 가방 속에서 핸드폰을 꺼냈다. 그 모습을 보고 있던 모리는 시무룩해졌다.

“나는 핸드폰이 없어서 자료 찾는 걸 도와주지 못하는데. 어떡하지?”

모리의 시무룩한 혼잣말을 들은 하리가 얼른 책상 위에서 지금까지 모아두었던 재료들을 모리에게 건네주었다.

“자료 조사는 우리가 할게, 모리 너는 엘라니아 꽃을 찾으면 바로 이동할 수 있게, 있는 재료들로 연료를 미리 만들어 두자.”

“공간이동장치는 여기 있어. 그러고 보니. 질렌 할아버지가 기계에서 엉성한 부분을 손보셨다고 지구에서 급하게 만든 엉성한 장치보다 이걸 사용하는 게 더 좋을 거래.”

유진이에게서 장치의 본체까지 받은 모리는 하리 방 한쪽에 자리 잡고 바닥에 앉아 장난감 상자를 책상 삼아 연료 제작을 시작했다. 하리의 방에선 각자의 일에 열중하고 있다는 것을 보여 주듯, 대화 하나 없었다. 침대에선 하리가 열심히 액정을 두드리며 코바라잔에 대해 검색하고 있었고, 책상에선 유진이가 액정을 쓸어내리며 자료를 찾고 있었다. 침대 옆 공간엔 모리가 연료 배합에 온 정신을 쏟고 있었다.

“어? 찾았다. 찾았어!”

하리의 외침에 다들 하던 일을 멈추고 하리가 있는 침대로 올라왔다. 하리는 화면을 모두에게 보여주었다.

“내가 찾은 블로그인데. 봐봐. 여기에서 이 사람이 하이킹을 좋아하나 봐. 강원도 철원에 있는 골짜기에서 우연히 동굴에 들어갔다가 꽃을 발견했나 봐 너무 예뻐서 이걸 사진 찍었고, 사진이랑 함께 블로그에 꽃의 이름을 묻는 글을 올렸어.”

하리가 보여주는 사진을 유심히 보던 모리의 눈이 커졌다.

“엘라니아꽃이야!”

“그치? 댓글에도 자기가 식물학자라고 말하는 사람이 저 꽃이 코바라잔이라고 확실히 답변한 것도 있어.”

액정을 아래로 내려 댓글 창을 연 하리가 모리와 유진이에게 보여주었다.

“엘라니아꽃이 한국에도 있는 거네! 다행이다. 브라질까지 가지 않아도 돼서. 그래서 정확한 위치는 어디야?”

하리가 잠시만이라고 말하고는 블로그 글의 최상단으로 올라와 주소를 찾았다.

"강원도 철원이래."

현재 아이들이 있는 곳은 서울이고 구해야 하는 엘라니아 꽃은 철원에 있었다. 같은 대한민국에 있긴 했지만, 가까운 거리는 절대 아니었다.

"철원도 먼데."라고 중얼거리던 유진이가 모리의 표정을 보고 급하게 말을 바꿨다. "하지만 남미보단 가까우니까. 철원까지 가는 건 수월하지! 하하. 모리야 금방 구할 수 있을 거야. 걱정하지 마."

핸드폰을 계속 보고 있던 하리가 말했다.

"다행히 이 글이 올라온 지 몇 주 안 지났어. 진짜 지지난 주에 올라온 글이야. 그러니까 아직 있을 가능성이 높아 이 글 말고는 엘라니아 꽃을 찾았다는 이야기도 없고. 이 글도 읽은 사람도 많이 없고."

유진이는 하리 옆에 앉아 하리가 찾은 블로그 페이지를 스크롤 하며 글을 읽었다.

"댓글 중에 걸리는 게 있어. 이 식물학자가 다음 주에 저 동굴을 방문해서 꽃을 조사할 거래. 이 사람이 꽃을 조사하면 꽃을 가져가지 않을까? 그러면 다음 주 너머서 방문하면 엘라니아꽃을 구하지 못할지도 몰라!"

"그러면 빨리 가야겠네."

그때 둘의 이야기를 듣고 있던 모리가 물어봤다.

"철원까지는 어떻게 하면 갈 수 있어?"

"음. 버스?"

"기차?"

하리와 유진이는 잘 모르겠다는 듯 애매하게 말을 맺었다.

"우리도 찾아봐야 해. 철원에는 가본 적이 한 번도 없어서 잘 모르거든. 하지만 확실한 건 남미보다는 더 쉽게 갈 수 있다는 거야."

남미보다 더 쉽게 갈 수 있다는 말에 모리는 안도 했다.

"다행이다! 그럼 빨리 구할 수 있는 거지? 그럼 나는 마저 연료 만들고 있을게. 엘라니아꽃만 찾으면 바로 공간 이동할 수 있도록."

긴장하고 있던 모리는 긴장이 풀리면서 흥얼거리며 마저 연료 배합을 진행했다.

"그럼 우리는 철원까지 어떻게 갈지 계획을 짜자. 내 생각에는 내일모레. 그러니까 토요일에 갔다 오는 게 좋을 것 같

아. 그 식물학자가 다음 주 정확히 언제 가는지 모르겠지만 다음 주 월요일에 갈 수도 있잖아. 최대한 빠르게 가는 게 중요할 거야."

유진이와 하리는 지도의 길 찾기 기능을 통해 가장 빠르게 갈 수 있는 방법을 검색했다. 한참을 검색하던 유진이와 하리는 큰 벽에 부딪혔다.

"고속버스도 가는데 2만 원이야. 너 돈 있어? 나 이번 달 용돈 다 썼는데. 지금 이천 원밖에 없어."

"나도 3천 원 있어."

고속버스를 타던지 다른 이동 수단을 타던지 모두 돈을 써서 가야 하지만 하리도 유진이도 돈은 없었다.

"다 됐다. 이제 엘라니아 꽃만 있으면 돼. 너희 쪽은 잘돼 가?"

배합한 노란 연료를 가지고 온 모리가 하리와 유진이에게 물었지만, 기운 없는 대답만 돌아왔다.

"우리가. 돈이 없어."

"어?"

모리는 지구의 금전 감각이 없어 당황해할 뿐이었다. 유진이와 하리가 부모님에게서부터 돈을 어떻게 받을지 고민하고 있을 때 어디선가 벨 소리가 울려 퍼졌다.

-띠리링

“어, 엄마다.”

유진이의 폰으로 유진이의 엄마가 전화를 건 것이다.

“여보세요? 엄마!”

-우리 딸 잘 놀고 있었어? 엄마한테 전화 해주기로 했으면서 한 번도 전화 안 해주고. 엄청 재미있었나 봐~

“하하하… 미안해요. 엄마.”

-여름에 하리네랑 같이 놀러 가기로 했던 거 있잖아. 하리네 부모님이 내일 금요일에 출장에서 돌아오니까 토요일에 같이 놀러 가기로 했는데. 너희들 생각은 어떠니?

“토요일에... 놀러 가요? 어디로요?”
엄마의 말을 들은 유진이는 토요일에 하리와 부모님 몰래 철원에 갈 계획이 일그러졌음을 느꼈다. 유진이의 엄마에게는 들키지 않게 목소리는 평정심을 유지하면서 온몸으로 망

했음을 표현했다. 이를 본 하리가 작게 '왜 그래 무슨 문제 생겼어?'라고 물어봤다. 유진이는 작게 '좀 이따가 말해줄게.'라고 답했다.

-아직 날짜만 정하고 장소는 정하지 않았어. 혹시 가고 싶은 곳 있니?

"어. 그러면 저희가 갈 장소를 정해도 되는 거예요?"

-그래, 바로는 못 정하지? 고민하고 좀 있다가 다시 연락해 줘. 연락 기다리고 있을게, 우리 딸.

"네!"

유진이는 힘차게 대답하고 전화가 끊어지자마자 하리와 모리에게 말했다.

"엄마가. 우리 토요일에 놀러 갈 거래. 근데, 어디 갈지 우리 보고 정하래. 그러니까 부모님께 철원에 가겠다고 하자. 이러면 이동비를 우리가 부담 안 해도 돼! 그럼 돈 걱정 해결이야!"

모리가 이해를 하지 못하자. 하리가 웃으며 다시 천천히 설명해 줬다.

"우리가 철원까지 가는 게 문제였거든. 근데 놀러 철원으로 가게 되면 철원까지 이동하는 게 해결돼. 그러니까. 내일 그리고 또 내일이면 엘라니아꽃을 찾으러 갈 수 있다는 거야."

모리의 눈이 다시 커지고 하리의 방을 방방 뛰었다. 행동이 모리의 신남을 잘 표현해 주고 있었다. 하리가 모리에게 설명하는 동안 핸드폰으로 철원에 대해 검색하던 유진이가 핸드폰을 보여주었다.

"부모님께 철원에 있는 이 캠핑장에 가고 싶다고 하자. 이 캠핑장이 우리가 가야 하는 동굴 바로 아래에 있고, 계곡도 있어서 우리가 물놀이도 할 수 있어!"

"좋아!"

모두의 찬성과 함께 유진이는 찾은 캠핑장을 부모님께 메시지로 전송했다.

-엄마, 하리랑 이야기했는데 저희 이곳 가고 싶어요! 여기 있는 계곡이 엄청 예쁘거든요. 여기로 가도 돼요?

유진이 엄마의 답변은 그리 오래 걸리지 않았다.

-오, 꼼꼼히 찾았네. 그래 너희들이 가고 싶다면 가야지.

금요일까진 하리 집에서 지내고 토요일 아침에 보자. 엄마가 네 짐은 챙겨갈게.

-감사해요!

엄마와의 문자가 끝난 유진이가 말했다.
"좋았어. 철원으로 가는 거야!"
"야호!"

저녁 먹을 시간이 다가왔고, 유진이와 하리를 필두로 저녁 식사를 준비했다. 유진이는 이틀 만에 먹는 지구식 밥을 먹게 되어 밥을 먹는 내내 행복해 보였다. 반찬 하나 먹고 감동하고 또 하나 먹고 감동하고. 모리는 유진이에게 전달받았던 음료수와 함께 저녁을 즐겼다. 행복한 저녁 식사 후에는 다 같이 파자마 파티를 했다. 원래 유진이가 하리의 집에 온 것도 하리 부모님이 출장 가 있는 수, 목, 금 동안 하리와 같이 지내며 파자마 파티를 하기 위해서였기에 파자마 파티는 예정돼 있던 일정이라고 할 수 있었다. 모리는 파자마는 없지만 장난감 상자에 물을 받아 하리의 방에서 다 같이 잠들었다.

다음날 일어난 세 명은 아침부터 내일 갈 철원에서의 계획을 짰다. 기회는 한 번뿐이라고 생각하니 모두 진지하게 계획을 토의했다.

"일단 모리를 데리고 가야 해."

"어디에 데리고 가지?"

"지난번처럼 물병은 어때? 나는 편했어. 밖에도 보이고 인간들에게 들키지도 않았고."

모리는 물병으로 데려가기로 했고.

"캠핑장에서 인터넷이 안 터지면 우리가 지도를 보고 그 동굴까지 찾아가지 못할 수도 있어."

"지도를 미리 출력해 둘까?"

"좋은 생각이야."

지도는 혹시 모를 일을 대비해 미리 뽑아두기로 했다.

"엘라니아꽃의 가루를 바로 용액에 넣지 못할 수도 있어. 그러면 따로 담을 곳이 필요할 거야."

담을 용기도 준비했다.

"모리의 짐도 우리가 들고 가야 해."

"우리 가방이 큰 게 필요할 거야."
가지고 가려던 가방보다 더 큰 가방을 꺼내었다.

"동굴이 어두울지도 몰라."
"손전등을 챙길까?"
"손전등이 뭐야?"
"빛이 나오는 물건이야. 어둠을 밝혀주지."
손전등도 챙기기로 했다.

"숲속이니까 당연히 벌레가 많을 거야."
"벌레 기피제도 챙겨야겠네!"
벌레 기피제도 가방으로 들어갔다.

"내 방에 폴라로이드 사진기가 있어! 이것도 챙길까?"
"그게 뭐야?"
"사진을 찍고 바로 인쇄할 수 있는 사진기야. 아, 사진은. 음... 간직하고 싶은 순간을 그림으로 저장하는 거야."
"굳이 필요할까?"
유진이는 의아해했지만, 하리의 강한 의견으로 폴라로이드 사진기도 가방 속을 들어갔다.

이것저것 하나둘씩 가방으로 들어가는 짐이 늘어났다. 유진이와 하리의 짐만 챙길 뿐만 아니라 모리를 위한 짐도 일부 챙겨야만 했다. 그렇게 짐을 다 챙길 때가 되니 하리의 핸드폰이 진동했다.

"여보세요?"

-하리야~ 잘 놀고 있었어? 우리 딸? 엄마랑 아빠 이제 곧 집 도착하거든!

"진짜요? 와, 조심히 얼른 오세요!"

하리 부모님이 돌아온다는 소식이 유진이와 모리에게 전해졌다.

"잠깐만. 근데 하리 부모님이 나를 보고 놀라시면 어떡하지?"

"으아, 우리 엄마 아빠라면 모리를 내쫓으려고 하실 거야!"

"난 내쫓아지기 싫은데!"

유진이가 혼란스러운 하리와 모리 사이에서 이들을 중재시켰다.

"어... 모리 네가 크기가 작으니까. 내가 가져온 인형이라고 하자. 여름에는 더우니까 잘 때 안고 자는 시원해지는 여름용 인형! 하리 부모님이 보실 때만 인형처럼 가만히 있으면 될 거야. 그리고 우리끼리 놀 거니까 문은 닫고 있고. 그러면 되지 않을까?"

"좋은 생각인데?"

하리는 유진의 의견에 동의했다. 하지만 모리는 인형에 대해 잘 알지 못했다. 하리는 자신의 침대 위에 있는 인형을 가져왔다.

"이거처럼 생명이 없고 그냥 가만히 있는 장난감이야. 보통 말랑하고 푹신해서 인간들이 자주 끌어안고 있어. 나도 잘 때 끌어안고 자거든."

"가만히? 이렇게?"

모리는 하리가 보여준 인형처럼 온몸의 힘을 빼고 가만히 있었다.

"진짜 인형 같아. 우리 엄마 아빠가 깜빡 속으실 거야."

모리가 인형 연습을 하는 사이 현관문이 열리는 소리가 온 집안에 퍼졌다.

"오셨나 봐."

"하리야~ 유진아~ 잘 있었니?"

하리의 부모님께는 잘 지냈다는 것을 피력하며 방도 한번 보여주고는 방문을 닫아 부모님이 모리의 움직임을 보지 못하도록 했다. 하리네 부모님이 오시니 모리의 움직임에는 제약이 많아졌지만, 지금까지 하리가 만들어 먹었던 집밥보다 더 맛있고 영양가 있는 음식을 먹을 수 있었다. 모리도 컵라면에서 벗어나 색다른 한국의 음식들도 맛볼 수 있게 되었다.

"으아, 역시 너희 어머니 요리 솜씨는 정말 좋은 거 같아. 너무 많이 먹어 버렸어. 힘들다."

"이게 지구의 요리. 지금까지 하리가 해준 것보다 더 맛있었어."

"뭐라고? 내가 얼마나 열심히 만들었는데. 흥."

모리의 말을 들은 하리가 보란 듯이 삐진 척을 했다. 모리는 하리가 농담하고 있다는 것을 바로 알아차리고 하리의 농담을 받아줬다. 그렇게 금요일의 하루도 저물어 갔다.

결전의 날인 토요일이 되었다. 하리 부모님은 아침부터 분주하게 짐 체크를 하고 계셨다.

"여보 가위 챙겼어요?"

"챙겼고 거기 휴지 좀 줘."

그와 동시에 아이들은 모리를 먼저 물병에 넣어 부모님께 들키지 않게 했다. 분주하게 짐을 챙기시던 하리 아빠가 준비를 끝낸 하리와 유진이를 보더니 말하였다.

"얘들아, 너희는 먼저 내려가 있으렴. 우리는 집 정리하고 내려갈게."

"네 알겠어요. 아빠."

모리가 들어있는 물병을 챙긴 유진이와 하리는 어제 싼 짐이 든 가방을 메고 1층으로 먼저 내려갔다. 1층으로 내려오니 유진이 부모님이 큰 차량 앞에 서 계셨다.

"우리 딸, 잘 지냈어? 엄마 보고 싶진 않았고?"

"헤헤, 엄청나게 보고 싶었어요. 엄마."

3일 만에 만난 유진이와 가족들이 정겨운 포옹을 나누고 유진이네 아버지의 도움을 받아 가방을 차 트렁크에 싣고는 차 뒷자리에 앉았다. 얼마 지나지 않아 하리 부모님도 트렁크에 짐을 싣고는 차에 탑승하셨다. 그렇게 모든 준비를 마친 유진이네 가족과 하리 가족 그리고 물병 속 모리는 강원도 캠핑장으로 출발하였다.

하리는 캠핑장으로 향하면서 창문 밖 풍경을 보았다. 출발한지 얼마 안 되었을 때는 빌딩들과 도로를 지나다니는 차들이 가득했다. 출발한 지 1시간 정도가 지나고 나니 창밖 풍경은 나무가 가득했다. 창밖을 보던 하리와 달리 유진이는 피곤했는지 출발과 동시에 기절해 있었다. 모리는 물병 속에서 소곤소곤 하리와 대화를 나누며 지구의 풍경을 구경했다. 그렇게 2시간 정도를, 차를 타고 이동하니 캠핑장에 도착할 수 있었다. 차가 정차하자 자고 있던 유진이가 잠에서 깼다.

"유진아 잘 잤어?"

"하암... 뭐야 도착한 거야?"

"응 도착했어. 얼른 정신 차려."

유진이와 하리 그리고 (하리의 손에 들린 물병 속) 모리가 차에서 내리자. 짐을 옮기고 있는 부모님들이 보였다. 역시 부모님들은 아이들보다 더 먼저 빠르게 짐을 옮기고 있었다. 유진이 부모님이 유진이와 하리를 보고는 물놀이용품을 꺼내어 건네주셨다.

"얘들아, 이거 가지고 가서 계곡에서 놀고 있어. 이따가 밥 준비되면 불러줄게."

"네!"

유진이는 물놀이용품을 건네받고 하리와 계곡으로 이동하는 척하며 다른 길로 빠졌다. 미리 출력해 둔 지도를 보며 산길을 따라 풀을 해치며 걸어갔다. 인터넷에서 미리 찾아본 대로 캠핑장과 동굴은 그리 멀지 않았다. 물론 사람들이 잘 안 다니는 길을 지나가야 하긴 했지만 금방 동굴을 찾을 수 있었다. 동굴 입구에서 아래의 캠핑장이 한눈에 들어왔다. 하리가 풍경에 감탄하는 사이 유진이는 주변을 살피고 모리를 꺼내주었다.

"모리야 도착했어."

"고마워!"
"이러고 있을 시간 없어. 얼른 들어가 보자."

유진이는 손전등을 켜고 앞장서서 동굴로 들어갔다. 대낮임에도 불구하고 동굴 안은 엄청 어두웠다. 손전등이 없었다면 들어갈 수 없었을 것이다. 다섯 발짝 걸어 들어간 유진이 갑자기 자리에서 멈췄다. 갑자기 멈춘 유진이를 본 하리와 모리는 머리 위로 물음표를 띄웠다.
"유진아, 왜 그래? 앞에… 뭐 있어?"
"있잖아… 너무 어두워. 하리야 자. 네가 앞장서!"

우와

유진이는 순식간에 손전등을 하리에게 넘기고 하리의 뒤에 섰다. 유진이의 갑작스러운 행동에 당황한 하리와 모리였지만 귀여운 유진이의 모습에 웃음이 터져 나왔다. 대열을 정비하고 하리, 모리, 유진이 순으로 동굴 깊숙이 들어갔다.

"어?"

모리의 입에서 나온 소리에 유진이와 하리가 모리를 쳐다보았다.

"모리야. 왜 그래?"

"물이 있어."

"아무것도 안 보이는데?"

"아니야. 분명히 느껴져 조금만 더 걸어가면 물이 있을 거야."

모리가 앞장서서 걷기 시작했다.

조금 더 걸어가니 정말 모리의 말 대로 물소리가 들려왔다.

"진짜네. 앞에 작은 샘이 하나 있어."

하리가 손전등으로 샘을 비추니 샘의 모습이 눈에 들어왔다. 손전등에 의존하며 모리가 거침없이 샘으로 들어갔다.

"모리야! 안에 뭐가 있을 줄 알고 그렇게 막 들어가. 조심해."

유진이가 모리를 향해 외쳤고, 모리는 유진이의 말을 웃어넘기며 하리에게 말했다.

“하리야, 저기 좀 비춰줄 수 있어?”

“저기 말이야? 알겠어.”

하리가 손전등으로 모리가 가리킨 위치를 비추었다. 빛을 따라 동굴 벽면에서 자라난 덩굴들이 보였다. 그리고 덩굴들 사이에는 그토록 찾던 영롱한 주황빛의 엘라니아꽃 다섯 송이가 피어있었다.

“저 아름다운 꽃이 엘라니아꽃이야?”

엘라니아꽃을 처음 보는 하리는 엘라니아꽃의 아름다움에 입을 다물 수 없었다.

"내가 라메흐 행성에서 봤던 시들한 엘라니아꽃보다 더 활기차고 싱그러워! 진짜 아름답다."

"나 드디어 집에 돌아갈 수 있어!"

모리는 드디어 집으로 돌아갈 수 있어 기쁜 마음을 주체하지 못했는지 방방 뛰어다녔다.

방방 뛰고 있는 모리를 내버려두고 연료통을 든 유진이는 엘라니아꽃 근처로 다가갔다. 엘라니아꽃은 물속에 뿌리를 내려 동굴 벽면에서 자라기에, 유진이의 발이 젖는 건 어쩔 수 없었다. 다행히도 계곡에서 물놀이를 염두에 두고 양말은 벗고 물에 젖어도 괜찮은 슬리퍼를 신었다. 연료통을 엘라니아꽃 아래에 위치 시키고 엘라니아꽃의 꽃가루를 털어 넣었다. 주황의 가루는 천천히 통으로 들어가 연료를 엘라니아꽃처럼 점점 밝은 주황색으로 바뀌었다.

"드디어 연료가 완성됐어! 내가 지구로 올 때 봤던 연료색이랑 똑같아. 완벽히 잘 만들어졌어."

"자, 여기 모리야."

연료통이 유진이에게서 모리로 건네졌다.

"고마워. 유진아!"

모리는 곧장 연료통을 공간이동장치에 끼어 넣었다. 이제 모리는 언제든지 라메흐로 돌아갈 수 있게 되었다.

하리는 가방에서 폴라로이드 사진기를 꺼내었다.

“내가 본 그 꽃 중에 가장 아름다운 꽃이야. 얘들아, 우리 꽃 앞에서 사진 찍지 않을래?”

“이걸 위해서 가져온 거야?”

유진이는 하리의 준비력에 감탄하였고

“좋아. 좋아!”

모리는 마냥 해맑았다.

유진이와 모리가 꽃 앞에 서자 하리는 근처 바위에 사진기와 손전등을 올렸다. 손전등으로 꽃과 친구들을 비추고 카메라로 각도를 조정했다. 타이머를 누르고. 후다닥 뛰어 유진이와 모리의 곁에 섰다. 카메라의 플래시가 깜빡이며 찍기 직전이 왔다고 알려준다.

-찰칵!

“이제 그럼. 동굴에서 할 일은 다 한 거지? 그렇지? 빨리 나가자. 여기 너무 오싹해…”

유진이가 사진을 찍느라 내려두었던 손전등을 주섬주섬 챙기며 앞장섰다. 그리고 그 누구보다 빠르게 동굴에서 벗어났다. 그런 유진이의 모습을 본 모리와 하리는 웃으며 유진이를 따라 나갔다.

동굴에서 나오자 한참 전에 나온 유진이가 두 아이를 반겼다.

"어서 와!"

"동굴 속에서 꽤 오래 있던 거 같았는데. 밖은 변한 것이 하나도 없네."

모리가 하늘에 떠 있는 태양을 보며 말했다. "여전히 지구의 태양은 뜨거워. 이 뜨거운 태양도 그리울 거야. 하리야, 유진아, 도와줘서 정말 고마워."

유진이는 모리를 말없이 꼭 안아주었다. 아쉬움과 미안함과 그리고 고마움이 가득 담긴 포옹이었다.

"내가 돌아온 것처럼, 너도 돌아갈 수 있게 돼서 다행이야."

눈물이 약하게 맺힌 하리는 소매로 눈을 닦았다.

"널 처음 만났을 땐 좀 당황했지만. 같이 재료 찾는 거 재미있었어. 돌아가서 잘 지내야 해."

"하리야 정말 고마웠어. 정말 그리울 거야."

모리는 그렇게 말하며 하리를 꼭 안아주었다. 하리도 모리를 안아주며 말했다.

"너랑 있던 시간을 잊지 못할 거야."

작별 인사를 마친 모리는 집으로 돌아가기 위해 공간이동 장치를 꺼내 들었다. 모리가 버튼을 누르려던 그때 하리가 모리를 불렀다.

"잠깐만 모리야 이거 가져가."

하리는 주머니에서 무언가를 꺼내서 급하게 건넸다. 바로 동굴 속에서 찍었던 사진이었다.

"이거 내가 가져도 되는 거야? 이거 하나밖에 없잖아"

라고 말하며 당혹감을 내비쳤다.

하리는 웃으면서 말했다.

"나흘 동안 우리가 함께한 시간의 증표야. 우리 잊으면 안 돼."

"고마워. 하리야, 소중히 간직할게."

모리는 사진을 소중히 가방에 챙겨 넣고는 하리와 유진이에게 손을 흔들었다. 모리는 '잘 지내야 해'라는 한 마디를 남기고 버튼을 눌렀다. 강한 빛무리와 함께 모리는 흔적도 남기지 않고 사라졌다. 유진이와 하리는 모리가 잘 돌아간 것을 확인하고는 캠핑장으로 천천히 걸음을 옮겼다.

일부러 캠핑장에 들어가기 전에 몸에 물을 흠뻑 적시는 것도 잊지 않았다. 캠핑장으로 돌아가니 맛있는 고기 냄새와 함께 부모님이 반겨주셨다.

"재미있게 놀았어?"

"네!"

유진이와 하리는 포근한 가족들의 품에서 놀다가 지쳐 무더운 여름날 잊지 못할 시원한 추억과 함께 잠에 들었다.

* * *

지구에 처음 왔던 그때처럼 강한 빛들이 모리를 감싸안았다. 빛이 점차 잦아들더니 빛의 자리를 익숙한 물들이 파고들었다. 시원한 물을 느끼며 모리는 눈을 떴다. 익숙한 둥근 물방울. 모리의 집이었다. 마당에 서 있던 모리는 집으로 후다닥 들어갔다.

"다녀왔습니다!"

모리의 한 마디에 밥을 먹던 가족들이 모두 입구를 향해 돌아보았다.

"...모리야!"

가족들의 환영의 포옹과 함께 모리도 집으로 돌아왔다.